D1377089

FRANCE

Provinces de l'Ouest

ÉDITIONS TIME-LIFE · AMSTERDAM

LES GRANDES TRADITIONS CULINAIRES

FRANCE
Provinces de l'Ouest

AMANDINE DITTA BIEGI

Le pays et les gens...
Toutes les grandes recettes
Photos des recettes: FoodPhotography Eising

1 Touraine
2 Berry
3 Orléanais
4 Flandre
Manche
Pays-Bas
Belgique
Allemagne
Luxembourg
Nord-Pas-de-Calais
Picardie
Haute-Normandie
Basse-Normandie
Bretagne
Paris
Île-de-France
Champagne-Ardenne
Lorraine
Alsace
Pays de la Loire
Centre
Bourgogne
Franche-Comté
Suisse
Poitou-Charentes
Océan Atlantique
Limousin
Rhône-Alpes
Auvergne
Italie
Aquitaine
Corse
Midi-Pyrénées
Languedoc
Provence-Alpes-Côte d'Azur
Monaco
N
Mer Méditerranée
(Pour cette région, voir page 5)
Espagne
Roussillon
0 50 100 150 km

Germinal
Germinal
Germinal
Germinal

SOMMAIRE

La carte page ci-contre montre le découpage administratif de la France, avec les noms des régions actuelles. Les chiffres indiquent les noms des anciennes provinces (dont le tracé ne recoupe pas partout celui des régions modernes), lesquels servent encore à désigner certaines recettes régionales.

À LA DÉCOUVERTE DE L'OUEST DE LA FRANCE

L'Ouest de la France offre une diversité fascinante de paysages, de curiosités, de villes historiques et de petits villages à découvrir. Depuis les coteaux doucement ondulés des Charentes et des Pays de la Loire, ce voyage de découverte mène le visiteur tout d'abord vers la Bretagne et ses côtes rocheuses. À l'époque où les pommiers sont en fleur, la Normandie, dans son arrière-pays, semble immergée dans un moutonnement de rose et de blanc. En été, les plages de l'Atlantique, de la Manche et de la mer du Nord, bien que le climat y soit un peu moins clément, attirent des centaines de vacanciers. Paris, la capitale, se visite en toute saison. La magie qu'elle exerce sur les touristes reste éternelle, et chacun semble venir y puiser un peu de cet esprit, de cette élégance qui font son charme. Les capitales des provinces: Poitiers, Orléans, Nantes, Rennes, Rouen, Amiens ou Lille, ne manquent pas d'attrait elles non plus, mais il faut aller chercher plus loin des sites d'une rare beauté et des châteaux perdus en pleine campagne.

La Bretagne à elle seule possède plus de 4 000 châteaux, manoirs et demeures seigneuriales, que l'on peut visiter. Qui n'a jamais rêvé de se réveiller dans la chambre d'un prince ou de dîner dans la grande salle à manger du château en compagnie d'un comte? Ce rêve peut devenir réalité, car nombre de demeures historiques se sont transformées en chambres et tables d'hôtes et peuvent accueillir les visiteurs. Le choix est vaste, de la simple chambre dans une tour jusqu'à l'aile entière d'un château. Mais partout où vous irez dans cette partie occidentale de la France, qu'il s'agisse d'un château, d'une belle demeure, d'une ferme ou d'un petit restaurant, vous découvrirez avec plaisir que les repas, comme dans le reste de la France, occupent une place importante dans le déroulement de la journée. Il est de tradition d'aller faire ses emplettes au marché, de façon à se procurer des produits frais. Et quand il s'agit de spécialités régionales de qualité, aucun détour ne rebute l'amateur.

Le matin, le petit déjeuner se compose simplement, pour accompagner le café au lait, de baguette fraîche, de brioches ou de croissants odorants. À midi, pour déjeuner, le repas se compose d'une entrée, d'un plat principal, d'un fromage et d'un dessert. Le soir, on offre un apéritif avec quelques amuse-gueule appétissants, puis on apporte la soupe, une salade ou une entrée chaude. Suivent un plat de viande ou de poisson, avec une garniture de légumes, puis un plateau de fromages et un dessert. Le vin (ou le cidre) est également prévu au dîner. Laissez-vous séduire par ce voyage gastronomique dans les provinces du Nord, de l'Ouest et du Centre. Le premier chapitre évoque les beautés naturelles et les curiosités historiques et culturelles de chaque région ainsi que les fêtes locales et les spécialités culinaires. Les chapitres consacrés aux recettes vous feront découvrir les plats les plus connus de ces régions. Toutes les recettes sont expliquées étape par étape, de sorte que même les néophytes n'auront aucune difficulté pour les réaliser. Elles sont complétées par des suggestions de boissons, des variantes, des informations sur les produits et des notes utiles. Nous vous proposons également des idées de menus pour toutes les occasions, du simple repas sur le pouce au repas de fête. Enfin, les photos des plats ne manqueront pas de vous donner envie de passer à la réalisation des recettes...

LE PAYS ET LES GENS...

Cette partie de la France est particulièrement belle de la fin du printemps au début de l'automne. Les amateurs de soleil et de belles soirées seront d'autant plus comblés que dans le nord de la France, pendant les longues journées de l'été, le soleil ne se couche que vers 23 heures. Les gens du Nord et de l'Ouest sont très accueillants, curieux de nouveautés et particulièrement ouverts. Cette ouverture d'esprit se remarque également dans la cuisine.
À la maison, on cuisine selon les recettes traditionnelles de la région, tandis que lorsque l'on va au restaurant, on aime bien goûter les spécialités des autres régions. C'est pourquoi, en dehors de la saison touristique, rares sont les établissements qui proposent un assortiment complet des spécialités locales.
On entre très rapidement en contact avec les habitants du cru, pour peu que l'on participe aux fêtes traditionnelles et que l'on s'intéresse à leur vie quotidienne. Sur la côte atlantique, de la Charente à la Bretagne, puis en Normandie et jusque dans le Nord, ce sont les ports qui constituent l'attraction principale de la région. Les acheteurs et les curieux se pressent sur les quais pour attendre le retour des bateaux aux couleurs vives et observer les pêcheurs débarquer leurs caisses de langoustes roses, de sardines argentées, de maquereaux et autres poissons brillants. Les pêcheurs ne refusent pas d'emmener avec eux des amateurs de pleine mer, qui ne manqueront pas d'admirer la passion de ces hommes dans leur dur labeur quotidien, même quand ils reviennent bredouilles.
La visite des parcs à huîtres, des bassins et des cabanes d'ostréiculteurs, à Marennes-Oléron et en Bretagne, est une autre curiosité intéressante. Quelques huîtres ouvertes et dégustées sur place seront la meilleure introduction au repas.
Un petit séjour en Normandie, en automne, à l'époque du ramassage des pommes, devrait vous laisser un souvenir inoubliable: on participe à la cueillette, on assiste au pressage, on prend part au déjeuner en commun et l'on se sent rapidement comme chez soi. Enfin, vous finirez sans doute par trouver votre petit coin de France préféré, qu'il s'agisse d'un vignoble du Val de Loire ou d'un quartier de Paris. La surprise sera toujours au rendez-vous!

De plus en plus de fermes proposent des produits confectionnés selon des recettes traditionnelles, comme ici, près de Luchapt, des spécialités à base de cerf.

La «route des huîtres» part du château et va jusqu'au nord de l'île d'Oléron, le long des petites cabanes multicolores des ostréiculteurs.

Poitou-Charentes

De l'embouchure de la Gironde jusqu'à La Rochelle et des limites de la langue d'Oc (langage autrefois parlé dans le sud de la France) jusqu'au nord de Poitiers, capitale administrative, s'étend une région favorisée par la nature. C'est le pays de l'huître aux reflets verts, du cognac mordoré et du beurre d'une grande finesse. La Charente-Maritime, qui s'étend le long de l'Atlantique, avec ses deux îles – Ré et Oléron –, est l'une des régions que les Français préfèrent pour passer leurs vacances. Des plages de sable fin bordées de dunes et de pinèdes invitent au *farniente* sous le soleil. La petite localité de Marennes, à l'embouchure de la Seudre, offre la possibilité d'approcher le monde de l'ostréiculture. La Rochelle est un ancien village de pêcheurs, fondé au Xe siècle sur un petit plateau au milieu des marais. C'est aujourd'hui une ville historique où les monuments anciens, en particulier la tour Saint-Nicolas et la tour de la Chaîne, du XVe siècle, créent un décor empreint de noblesse et ayant fière allure.

La Rochelle est une ville très animée qui aime bien la fête. En été, le festival des Francofolies attire des foules venues de loin. Dans le proche Marais poitevin et dans la région de Niort, au nord-est de La Rochelle, en revanche, règne le calme absolu. Sans bruit, les barques plates glissent à la surface de l'eau dans les canaux de la Venise verte, laissant admirer au passage la faune et la flore. Jusqu'au VIe siècle, la mer arrivait jusqu'aux tours de Niort et ce n'est qu'au XVIIe siècle que les hommes parvinrent à assécher plus de 10 000 hectares de marais. François Ier, né en 1494 à Cognac, au château des Valois, avait baptisé «le plus beau ruisseau du royaume» la rivière Charente, qui coule sur 167 kilomètres de long. En été, elle est sillonnée de péniches qui explorent silencieusement une nature superbe, apparemment désolée. Il faut franchir une vingtaine d'écluses, mais la difficulté n'est pas énorme. De temps à autre, les vacanciers abordent à terre, font quelques emplettes, visitent un château, celui de Panloy, entre autres, dans la région de Saintes. Puis ils repartent un peu plus loin, pour visiter par exemple l'Angoumois, aux abords de la ville d'Angoulême. Cette région est une véritable mosaïque de paysages variés: de belles forêts, des vallées pittoresques, le vignoble de Cognac, des recoins plus sauvages, des grottes et des sources souterraines ou des rivières poissonneuses. C'est un endroit privilégié pour les pêcheurs, les promeneurs, les amateurs de calme, mais aussi

les poètes et les bons vivants.
Le touriste qui s'intéresse à l'histoire fera halte à Poitiers, situé au confluent de la Boivre et du Clain. La ville ressemble à un véritable musée en plein air, avec ses édifices anciens, ses maisons à colombage et ses monuments du IVe au XIIIe siècle.
En flânant dans le centre, on parvient naturellement devant Notre-Dame-la-Grande (XIe-XIIe siècle), l'une des plus belles églises de l'art roman, surtout connue pour son portail richement sculpté et ses clochetons latéraux couverts en écailles.
La terre et la mer influencent à égalité la cuisine du Poitou et des Charentes. C'est une cuisine simple, mais non dénuée d'élégance. La saveur des mets est due essentiellement à la fraîcheur et à la qualité des produits de la région. Les amateurs de mer se tourneront vers les huîtres et les moules, avec une mention particulière pour la célèbre mouclade, cuisinée à la crème fraîche avec une pointe de safran. Mais le produit le plus réputé de la région reste sans doute le cognac. Cet alcool doit son caractère à la proximité de l'Océan, aux conditions particulières du climat et du sol, sur un vignoble de 60 000 hectares, et à un savoir-faire ancestral. Les vieilles familles de viticulteurs se transmettent les secrets de génération en génération. Au terme d'une visite dans l'une des nombreuses caves de Cognac, il est difficile de résister à la tentation d'acheter quelques bouteilles.

Les fêtes: À la mi-juillet, nombre de Français débarquent à La Rochelle pour le festival des Francofolies (chansons de langue française).
En juillet et en août, le château de La Rochefoucauld présente un spectacle son et lumière.
À la mi-août, la pittoresque petite ville de Confolens organise un festival international de folklore.

La Rochelle est une ville riche en curiosités historiques, avec l'hôtel de ville, les rues à arcades, la vieille ville et la grande horloge du Vieux-Port.

Chambord est le plus grand des châteaux de la Loire. De style Renaissance, il mire dans l'eau des douves son impressionnant décor de 300 cheminées, avec clochetons, pignons et frontons.

Le Centre

Le centre de la France est davantage connu, encore aujourd'hui, sous les noms des anciennes provinces qui le constituent, et qui apparaissent également dans les recettes: la Beauce, le Berry, le Cher, le Gâtinais, l'Indre, l'Orléanais et la Touraine. Les paysages doucement ondulés, le célèbre Val de Loire et ses innombrables châteaux historiques invitent au rêve et à la culture. Les châteaux de la Loire, dans lesquels les rois de France, de Charles VII à Henri III, passaient avec leur cour la belle saison, se visitent tout au long de l'année. Qu'il s'agisse d'édifices grandioses ou de demeures moins connues, ils nous proposent un voyage dans le temps absolument fascinant en compagnie des rois et des reines du passé. Chaque château possède sa propre histoire, avec ses intrigues, ses rencontres et ses destins croisés. Des anecdotes amusantes font encore partie des traditions locales. Connaissez-vous, par exemple, l'histoire que l'on raconte à Chambord, le plus grand des châteaux de la Loire? François Ier y avait invité Charles Quint et il le fit saluer par une rangée de 100 jeunes filles en costume de déesses grecques, c'est-à-dire nues. Dans d'autres châteaux également, il était de tradition que les dames de cour paraissent à demi nues, selon le goût du temps. Le château de Chenonceaux, véritable bijou de la Renaissance française, offre une vision inoubliable de cette époque. Son intérieur, magnifiquement meublé et décoré, en fait une étape indispensable lorsque l'on visite la région. L'un des fleurons du domaine est son immense parc, que l'on traverse par une grande allée bordée de platanes centenaires.

Après tant de visites royales, si vous ne trouvez pas de gîte «roturier» pour passer la nuit, offrez-vous une nuit «princière». En effet, nombreuses dans la région sont les demeures seigneuriales qui ont été transformées en hôtels ou qui, du moins, offrent des chambres d'hôtes.
Sur les bords de la Loire, Orléans est une étape historique. La ville assiégée fut libérée en 1429 par Jeanne d'Arc, et les témoins artistiques de ce passé glorieux y sont nombreux, comme la statue équestre en bronze de la Pucelle d'Orléans. La crypte du XIe siècle est l'édifice roman le plus intéressant de la cité. Plus loin en aval se trouve Tours, déjà mentionné au Ier siècle de notre ère sous le nom de *Caesarodonum* (colline de César). Ancienne cité gallo-romaine, Tours fut, au XVe et au XVIe siècle, la résidence des rois de France et par conséquent la capitale du royaume.
Les confiseries d'Orléans proposent aux amateurs de sucreries une spécialité à base de pâte de coing appelée cotignac, présentée dans une petit boîte en bois de sapin.
Les magasins d'art de la table offrent, quant à eux, un assortiment de belles faïences de Gien. Le Val de Loire, jadis jardin d'agrément des rois de France, est aujourd'hui une région d'élevage, de cultures maraîchères et fruitières, mais aussi un terroir hautement gastronomique. Au fil de la Loire, qui ne connaît pas de frontières, les limites culinaires ne sont pas clairement définies d'une région à l'autre. La cuisine offre une dominante rustique, avec des notes raffinées: ce sont, par exemple, les rillettes et les rillons, mais aussi le râble de lapin au miel et la célèbre tarte aux pommes renversée des sœurs Tatin.
Les fromages de chèvre de la région sont particulièrement réputés, notamment le sainte-maure, en forme de bûche, le selles-sur-cher, en forme de disque plat, et le pouligny-saint-pierre, en forme de pyramide, sans oublier le fameux crottin de Chavignol, qui sont au nombre des meilleurs chèvres français. Parmi les vins les plus connus, il faut citer les blancs, sancerre et pouilly-fumé du Berry, les vins de Touraine, ainsi que le vouvray, le bourgueil et le chinon.

Les fêtes: Chambord célèbre, à la mi-juin, les Journées internationales de la chasse et de la pêche. En été, le soir, des spectables son et lumière ont lieu à la tombée de la nuit à Blois, à Chambord et à Cheverny.
Dans le Cher, au cours du dernier week-end d'octobre, Romorantin organise des Journées gastronomiques.

En visitant le cœur de la ville d'Orléans, on passe devant l'hôtel Groslot, ancien hôtel de ville, où l'on peut voir dans la cour d'honneur cette statue de Jeanne d'Arc.

La place du Martroi, à Orléans, bordée de cafés et de restaurants, est ornée en son centre de la statue équestre en bronze de Jeanne d'Arc.

Dans les caves de Saumur, le crémant de Loire et le saumur-champigny sont élaborés selon la même méthode que le champagne.

Pays de la Loire

La région qui s'étend entre le Val de Loire et l'Atlantique réunit d'anciennes provinces que l'on connaît encore sous leurs noms de l'époque: Anjou, Maine et Sarthe. C'est un pays relativement plat ou doucement ondulé, que l'on peut facilement découvrir en faisant du cyclotourisme sur de petites routes pittoresques, en procédant par petites étapes qui traversent un paysage verdoyant et nuancé. Les aubergistes ne manqueront pas de vous fournir tout le nécessaire: le gîte et le couvert. En flânant à travers le vignoble nantais, vous prendrez le temps de bavarder avec les gens du cru, pour faire plus ample connaissance avec le pays et ses traditions et rencontrer aussi de sympathiques vignerons, qui vous inviteront à boire un verre de vin dans leur cave. Les enseignes en forme de bouteille indiquent le chemin qui conduit sans tarder vers les lieux où l'on débouche une bonne bouteille de muscadet. Clisson, sur la Sèvre, est la ville la plus au sud de la «route du vin», dans la région de Nantes. C'est un petit bijou qu'il faut découvrir en parcourant lentement ses ruelles pittoresques, en musardant dans ses jardins ou à l'abri des pins, où l'on se sent presque davantage en Italie qu'au seuil de la Bretagne.
À Nantes, on visitera sans aucun doute la vieille ville médiévale et le château des Ducs de Bretagne (Musée des arts et traditions populaires), mais on ira aussi faire du lèche-vitrines dans les trois étages du passage Pommeraye, construit en 1843. Les pâtisseries sont nombreuses dans la ville et vous ne manquerez pas d'y faire provision de ces fameux biscuits de création nantaise, les petits-beurre, ou des célèbres sablés de Sablé (dans la Sarthe).
Dans la région située au nord-est de Nantes, on peut louer à tout moment de l'année des bateaux à moteur, qui permettent de se promener librement – aucun permis spécial n'est requis – sur les canaux et les rivières. Sur les affluents de la Loire, comme le Maine,

Le château de Saumur (XIIe siècle), sur son rocher qui domine la vallée de la Loire, se voit de très loin aux alentours.

on glisse silencieusement devant les manoirs et les châteaux du Moyen Âge et de la Renaissance, on frôle de petits villages perdus en pleine nature, avant d'arriver à Angers, dont on aperçoit de loin les pignons gothiques couverts d'ardoise qui surmontent les vieilles demeures de pierre blanche, ainsi que les 17 tours massives de l'ancien château, une forteresse édifiée au XIIIe siècle. Ne manquez surtout pas d'aller y admirer la célèbre tapisserie de l'Apocalypse, longue d'une centaine de mètres, l'œuvre de ce genre la plus importante au monde, datant du Moyen Âge.
Sur le littoral, la douceur du climat et l'air iodé de l'Atlantique vous invitent à une cure de remise en forme dans l'une des nombreuses stations balnéaires, comme Les Sables-d'Olonne. La Baule, non loin de l'embouchure de la Loire, est l'une des plus belles plages de la côte atlantique : un croissant de lune de sable fin de 9 kilomètres de long, avec d'immenses forêts de pins abritant villas et résidences, constitue un cadre idéal pour les vacances. Pour ceux qui préfèrent fréquenter la station hors saison, les activités sont multiples: golf, équitation ou tennis.
Les différences que l'on constate dans les trois anciennes provinces regroupées administrativement dans la région des Pays de la Loire sont également bien marquées dans leurs cuisines respectives. L'Est (l'Anjou) présente une cuisine assez proche de celle de sa voisine la Touraine. Le Nord et l'Ouest, avec leurs spécialités d'inspiration bretonne, rappellent l'époque où Nantes appartenait encore à la Bretagne. Les plats les plus connus des Pays de la Loire sont le brochet au beurre blanc *(p. 80)*, la marmite sarthoise *(p. 86)* et les poires belle angevine au vin rouge *(p. 133)*. Outre le muscadet, le gros plant du pays nantais ainsi que les vins de Saumur et de l'Anjou méritent d'être mentionnés.

Les fêtes: En été, à Clisson, chaque vendredi et chaque samedi, un spectacle son et lumière anime la ville. Le festival d'été de Nantes est particulièrement coloré. En juillet ont lieu des spectacles de danse et de musique des pays du monde entier. De juillet à août, sur le littoral, de La Tranche-sur-Mer jusqu'à Barbate, de nombreux artistes participent au festival de la Déferlante, la Vague à l'art, qui propose une soixantaine de spectacles.

Dans le centre de Nantes, les restaurants de fruits de mer sont particulièrement nombreux, mais La Cigale offre en outre un intérieur ancien fort célèbre.

À l'occasion des fêtes traditionnelles, comme ici pour la fête des Fleurs d'ajonc, au début août, à Pont-Aven, les femmes portent la coiffe et le costume bretons.

Entre l'île de Sein et la terre ferme s'étend la célèbre pointe du Raz. On raconte que personne n'a jamais passé ces écueils dangereux sans peur ou sans dommages.

La Bretagne

C'est de toute évidence vers la mer que sera attiré le visiteur qui aborde la Bretagne pour la première fois. La terre entière de cette région s'enfonce dans l'Atlantique, comme la proue d'un navire. Les côtes méridionales du Morbihan et de la Cornouaille laissent la place, vers l'ouest, à la Côte des Abers, que suit au nord-ouest la Côte de Granit rose pour finir au nord-est avec la Côte d'Émeraude, ainsi nommée à cause des rochers tapissés d'algues vertes que la mer découvre à marée basse. Le littoral breton, très découpé, s'étire sur 1 700 kilomètres et constitue le tiers de toutes les côtes françaises. Petits îlots rocheux ou falaises abruptes qui donnent le vertige, langues de terre plantées de pins et landes qui s'illuminent de genêts au printemps, ces paysages ont donné aux lieux des noms inoubliables, comme la Côte Sauvage ou la Côte des Légendes. Les petites baies abritées et les ports miniatures sont particulièrement pittoresques lorsque la mer qui se retire laisse sur le sable les bateaux multicolores. Bleus comme le ciel et la mer, les hortensias fleurissent devant les maisons de granit enserrées entre leur deux cheminées extérieures. Un archipel unique en Europe est formé par les 12 petites îles du Ponant, auxquelles on donne aussi le nom poétique de Perles de la Bretagne. La Bretagne a conservé bien des traces de la préhistoire. À Carnac, ce sont des alignements de plus de 3 000 pierres dressées, les menhirs, dont la signification devait sans doute être religieuse. De par leur langue, leurs traditions et leur culture, les habitants de la Bretagne se sentent d'abord bretons avant d'être français. L'arrière-pays est riche en cités historiques qui ont résisté au temps et qui sont aujourd'hui protégées comme des monuments historiques: Auray, Dinan, Fougères, Quimper, Rennes, Saint-Malo, Vannes ou Vitré. À Quimper, la cathédrale Saint-Corentin, dont les deux flèches dominent la ville, rappelle la richesse de l'art gothique breton. La faïence de Quimper est connue dans le monde entier, avec ses décors naïfs et colorés. Après avoir visité quelques ateliers ainsi que le Musée de la faïencerie, il est difficile de résister à la tentation

Le cap de la Chèvre offre un panorama magnifique qui s'étend jusqu'à la pointe du Raz et à la rade de Douarnenez.

d'acheter une assiette ou un bol. Rennes, au confluent de l'Ille et de la Vilaine, mérite d'être visitée en fin de semaine, lorsque la plupart de ses 200 000 habitants sont partis au bord de la mer chercher un peu de repos. Laissez-vous tenter par une flânerie dans la «Nouvelle ville» du XVIIIe siècle: un mélange de vieux quartiers pittoresques, de petites places et de cours intérieures, avec des jardins et des fontaines ainsi que d'élégants magasins installés dans de superbes maisons à colombage. Non moins séduisant, le marché du dimanche matin retentit de cris et d'appels. Sur les places des Lices et Saint-Michel, le choix des fruits et des légumes frais, des poissons, viandes et volailles, sans oublier les fleurs, est vraiment phénoménal. La cuisine en Bretagne, un paradis pour le gourmet, connaît actuellement une sorte de renaissance. Les plats traditionnels, comme les crêpes et les galettes de sarrasin, la cotriade (soupe de poissons) *(p. 62)* et le gâteau au beurre (kouing aman) *(p. 136)* ne sont que quelques éléments d'une cuisine plus riche qu'il n'y paraît et que l'on accompagne rituellement de cidre.

Les fêtes: Qu'il s'agisse d'une fête de pêcheurs locale ou d'un festival international de jazz ou de rock, les étrangers sont toujours les bienvenus. Début juillet, 1 000 artistes sont présents pour 200 représentations lors du festival des Tombées de la nuit, à Rennes. À la mi-juillet, Quimper organise le festival de Cornouaille. Depuis 1923, il rassemble 4 000 participants, amateurs de musique, de chants, de danses, de marionnettes, de jeux bretons et de gastronomie locale. À la mi-août, Concarneau célèbre la fête des Filets bleus.

Les falaises d'Étretat, au nord du Havre, comptent parmi les plus intéressantes curiosités naturelles du littoral de la Haute-Normandie.

La Normandie

Depuis la baie du Mont-Saint-Michel, où les terres ont été gagnées sur la mer, avec le célèbre mont que domine l'une des plus belles abbayes de France, jusqu'au Tréport, au pied des falaises littorales les plus hautes de France, s'étend la côte normande. Administrativement, la région se divise en Haute- et Basse-Normandie.
À l'intérieur, la Basse-Normandie se prolonge jusqu'à Alençon, ville célèbre pour son art de la dentelle, tandis que la Haute-Normandie parvient jusqu'à la vieille ville fortifiée de Nonancourt.
La Normandie doit son nom aux Vikings, les «hommes du Nord».
Si vous n'êtes pas un fanatique des bains de mer, vous visiterez la Normandie entre la fin avril et la mi-mai, lorsque les pommiers sont en fleur, ou bien à partir de septembre, au moment de la récolte des pommes.
Quand il fait beau, la Normandie est un pays magnifique. La «route du cidre» serpente avec charme le long des petits chemins et traverse les villages les plus pittoresques du pays d'Auge: Beuvron-en-Auge, Cambremer ou Bonnebosq.
Derrière de hautes haies se cachent des maisons à colombage ou des manoirs recouverts de vigne vierge.
Tout autour se dressent de vieux pommiers, à l'ombre desquels paissent de lourdes vaches à taches noires ou brunes. Les vieilles fermes, signalées par un panonceau, vous font visiter leurs caves et leurs vieux pressoirs, où l'on peut goûter le cidre et le calvados. Bien emballées, les bouteilles résistent à de longs voyages.
La «route des fromages normands» est sans doute la façon la plus agréable de découvrir les nombreuses spécialités fromagères de la région. Elle part de la petite ville de Coutances, passe par Camembert, Livarot, Lisieux,

Pont-l'Evêque et Trouville pour aboutir à Neufchâtel. Elle permet de goûter les meilleurs fromages normands à pâte molle, tout en visitant, çà et là, un musée du Fromage. Pont-Audemer, vieille cité portuaire au bord de la Risle, offre, pour le plaisir des papilles, un fromage baptisé pavé d'Auge et, pour le plaisir des yeux, ses ruelles pittoresques, ses maisons à colombage et ses anciennes demeures de tisserands et de tanneurs construites au bord de l'eau. La côte est sans doute la partie de la Normandie la plus visitée et le Calvados la région la plus touristique, mais les grandes villes présentent également un grand intérêt. Caen, capitale de l'actuelle Basse-Normandie et de l'ancien duché de Normandie à l'époque de Guillaume le Conquérant, possède plusieurs édifices historiques, comme le château féodal. Guillaume le Conquérant fut enterré en 1087 dans l'abbaye aux Hommes, édifiée au XIe siècle, l'actuel hôtel de ville. À Bayeux, la tapisserie de la reine Mathilde, l'épouse de Guillaume, réalisée en 1067 par des moines anglais, raconte, sur 70 mètres de long, la conquête de l'Angleterre. Rouen, la capitale de la Haute-Normandie, avec ses vieux quartiers protégés et ses églises gothiques, mérite son nom de ville-musée. On y flâne agréablement dans les vieilles rues bordées de maisons à colombage, aux abords de la rue du Gros-Horloge. La cuisine normande est connue pour ses préparations à la crème fraîche et la simplicité de ses recettes. On accommode ainsi le poulet vallée d'Auge, au cidre et à la crème *(p. 84)*, le canard à la rouennaise (dans son propre jus), le lapin au cidre *(p. 91)* ou la sole à la cauchoise (au vin blanc ou au cidre) ainsi que les poissons à la dieppoise (au vin blanc avec des moules, des crevettes et des champignons). Les fromages à pâte molle, à croûte fleurie ou lavée, font partie du repas. Comme dessert, on aime les pommes en pâte (bourdelots). Le cidre accompagne volontiers le repas et, si celui-ci est copieux, on pratique le trou normand: un petit verre de calvados qui permet d'«attaquer» la suite plus facilement.

Les fêtes: De nombreuses manifestations célèbrent aussi bien la pomme que le cidre et le calvados ou d'autres spécialités normandes. Les fêtes du cidre ont lieu, par exemple, à la fin du mois de mai à Cambremer et fin octobre à Beuvron-en-Auge. Fin juillet se déroule la fête du Camembert, dans son village natal. À Rouen, à la fin mai, une fête est consacrée à Jeanne d'Arc.

Plusieurs fois par jour, au Mont-Saint-Michel, la deuxième attraction touristique après Paris, on livre le pain frais.

Sur le marché de la petite ville de Vimoutiers, en octobre, les pommes sont abondantes et colorées.

Des restaurants élégants, des brasseries populaires et de nombreux bars et cafés entourent la place de la Bastille et s'échelonnent sur les Grands Boulevards.

L'Île-de-France

Telle une couronne d'un rayon de 80 kilomètres environ, 7 départements entourent Paris et constituent, avec la capitale, la région d'Île-de-France. Du sud vers l'est, cette région est cernée par le Centre, la Normandie, la Picardie, la Champagne et la Bourgogne. L'Île-de-France est un terroir fertile et boisé qui fournit depuis toujours la métropole en fruits, en légumes et en céréales, en gibier, en volailles et en produits laitiers. Le nom des produits et des spécialités évoque, aujourd'hui comme hier, leur localité d'origine. C'est le cas par exemple des fromages de Brie – bries de Meaux, de Melun ou de Montereau –, ou des coulommiers, qui sont produits dans une région située entre la Seine et la Marne. Et qui ne connaît pas la fameuse crème Chantilly, qui porte le nom d'un célèbre château du nord de Paris, à la limite de la Picardie? Mais le château royal le plus connu au monde reste néanmoins celui de Versailles, la demeure de Louis XIV, aux abords immédiats de Paris. L'immense parc, œuvre de l'architecte Le Nôtre, constitue l'un des poumons de Paris: avec ses fontaines et de grandioses jeux d'eau, c'est un havre de paix où l'on peut respirer quand on parvient sous ses frondaisons, après avoir visité les enfilades de salles, de pièces, de chambres et de couloirs ornés de miroirs.

Avec ses différents quartiers, qui possèdent chacun leur caractère propre, Paris est particulièrement agréable à la fin du printemps ou au début de l'automne. Au quartier Latin, sur la rive gauche, l'atmosphère est animée et cosmopolite. Tout à côté, sous les platanes, le long des quais de la Seine, les bouquinistes vendent des livres d'occasion, des estampes et des cartes postales. À deux pas de la Sorbonne, où travaillent les étudiants, les amoureux et les mères de famille avec leurs enfants se croisent dans les allées du jardin du Luxembourg, situé derrière le Sénat. Le quartier du Marais, sur la rive droite, jadis effectivement marécageux, était, au XVIIe siècle, le quartier préféré des gens aisés et élégants. À quelques stations de métro de là, le Musée du Louvre ouvre ses portes sous une

La pyramide de verre constitue l'accès au musée du Louvre, le plus célèbre du monde, qui présente des œuvres d'art de l'Antiquité au XIXe siècle.

gigantesque pyramide de verre.
Pour beaucoup de visiteurs, quelques heures passées dans le plus grand musée du monde devant les toiles des maîtres les plus célèbres – y compris le sourire de la Joconde –, sont une halte obligatoire, au même titre qu'un tour à Montmartre, sur la place du Tertre et au Sacré-Cœur, ou l'ascension de la tour Eiffel.
On peut préférer aller se promener rue du Faubourg-Saint-Honoré, admirer les vitrines des boutiques de grands couturiers. Paris, capitale de la mode, représente pour beaucoup de femmes un rêve d'élégance, que l'on peut satisfaire en achetant un simple foulard.
À côté des adresses réputées de la grande cuisine, on trouve encore à Paris et dans ses environs des restaurants populaires où l'on peut déguster une cuisine authentique, par exemple une gratinée à l'oignon, du bœuf miroton ou une tête de veau sauce gribiche, des plats qui ont aujourd'hui la faveur des salles à manger bourgeoises. Autre spécialité délicate de la région parisienne, le fontainebleau, fromage frais battu avec de la crème fraîche, peut également être servi avec de petits fruits rouges. Quant à la pâtisserie parisienne, elle comporte plusieurs chefs-d'œuvre, tels que le paris-brest, le saint-honoré ou le mille-feuille.

Les fêtes: Elles se déroulent tout au long de l'année, en de nombreuses occasions. Le 21 juin a lieu la fête de la musique, lors de laquelle professionnels et amateurs font de la musique en pleine rue, jour et nuit, dans chacun des 20 arrondissements de la capitale. Début juillet et début septembre, une grande Fête de la Nuit est organisée dans le parc de Versailles. Meaux invite les visiteurs en été, le samedi soir, pour un Spectacle historique de nuit, dans la cour intérieure du Palais épiscopal.

C'est à la Belle Époque, au Moulin-Rouge, à Montmartre, que le french cancan fut lancé et mis à la mode.

Saint-Leu, le vieux quartier pittoresque d'Amiens (ici, le quai Bélu), est également surnommé la petite Venise du Nord.

La Picardie

Le plat pays de la Picardie s'étend comme un rectangle entre la Normandie, l'Île-de-France, la Champagne, le Pas-de-Calais et la côte picarde, une étroite bande littorale avec des plages de sable clair et des ondulations de dunes.
La Picardie est une région agricole, surtout connue pour ses cultures maraîchères et fruitières. L'une des curiosités les plus intéressantes est un ensemble de jardins flottants, les hortillonnages, au nord-est de la ville d'Amiens, d'un mot dérivé du latin *hortus* («jardin»): ce sont des petites parcelles de terre, les «aires», séparées par des canaux, les «rieux». Depuis des siècles, les «hortillons» (maraîchers) produisent ainsi, sur 300 hectares d'îlots, des légumes réputés. Le sol riche en tourbe permet trois récoltes par an. Comme moyen de transport et de locomotion, les hortillons utilisent, depuis 1784, de longues barques noires à fond plat et bout relevé les barques à cornet. À bord de ces embarcations traditionnelles, on peut visiter les jardins d'une manière très romantique. On croise ici ou là un maraîcher qui mène sa barque chargée de salades et de légumes tout frais au «marché au bord de l'eau» de la place Parmentier, non loin de l'immense cathédrale d'Amiens, chef-d'œuvre de l'art gothique, la plus grande église jamais construite en France. Ses proportions harmonieuses, ses lignes élancées et ses stalles ornées de figurines en bois sculpté en font l'un des plus beaux édifices de la région.
Dans l'eau des canaux se reflètent Notre-Dame ainsi que les pignons miniatures des maisons du «petit peuple de Saint-Leu». On désigne ainsi tous les artisans qui travaillaient jadis à Amiens, les sculpteurs sur bois

des stalles de la cathédrale, les tisserands, les tanneurs et les teinturiers qui habitaient un quartier situé sur plusieurs petites îles, dans de petites maisons peintes de toutes les couleurs. Amiens connut la prospérité grâce à l'industrie textile et en particulier à la teinture des couleurs pastel. Aujourd'hui, Saint-Leu est un quartier pittoresque et animé, bien remis en valeur, où les maisons ont été restaurées avec talent. Pour le visiter, promenez-vous en calèche ou allez flâner chez les brocanteurs et dans les ateliers d'artistes. Vous aurez l'occasion de déguster l'une des spécialités gourmandes de la ville, les fameux macarons, un joli souvenir à rapporter chez soi.

La crème Chantilly n'est pas véritablement une spécialité locale. Cette recette fut créée au château de Chantilly lorsque le célèbre Vatel était le maître d'hôtel des princes de Condé et régnait sur les cuisines du château. Construit sur un rocher entouré d'eau, Chantilly est l'un des fleurons de la Picardie. Unique en son genre, le grand parc fut dessiné à la fin du XVIIe siècle par Le Nôtre pour le Grand Condé. Les amateurs d'art équestre ne manqueront pas d'aller voir la célèbre piste, installée sur une île, où ont lieu les fameuses courses de chevaux de Chantilly.

À l'ouest du parc se trouve le Musée vivant du cheval, où l'on peut admirer toute la journée environ 35 chevaux de différentes races, logés dans les Grandes Écuries.

La cuisine de la Picardie est élaborée à partir de recettes traditionnelles qui exploitent les produits de la région, comme le pâté de canard d'Amiens *(p. 48)*, les ficelles picardes (des crêpes garnies) *(p. 39)*, la flamique à porions (tarte aux poireaux) *(p. 42)* et les rabotes aux pommes (pommes en chemise de pâte) *(p. 127)*. Le fromage le plus connu de la région est le rollot, en forme de cœur. On aime boire les produits du pays, comme la bière et le cidre, ainsi que le champagne de la région voisine.

Le marché hebdomadaire de Compiègne est un véritable régal pour les yeux et promet de vraies délices dans l'assiette.

Les fêtes: À Amiens, à l'occasion de la Fête dans la ville, fin juin, et de la Fête au bord de l'eau, début septembre, les maraîchers redonnent vie au marché médiéval qui se déroulait sur les canaux (Marché sur l'eau).

Dans la cathédrale d'Amiens, les bas-reliefs en pierre sculptée racontent des scènes de l'Ancien et du Nouveau Testament.

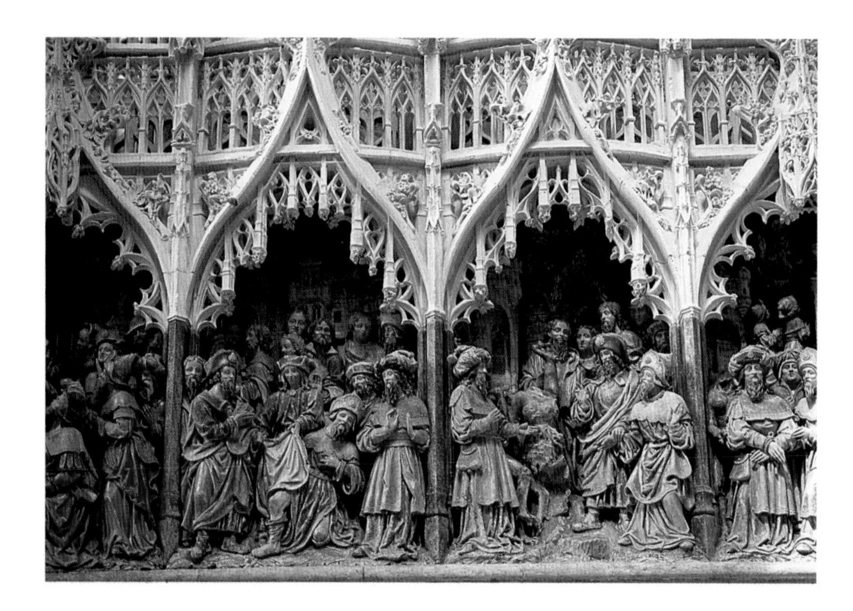

Nord-Pas-de-Calais

La région la plus septentrionale de la France occupe un triangle entre la Belgique et la Picardie, bordé par le détroit du pas de Calais. La partie ouest s'appelle Pas-de-Calais et la partie est porte le nom de Nord. Parmi les anciennes provinces d'Artois, d'Avesnois, du Boulonnais, de Flandre et du Hainaut, c'est la Flandre qui, sur le plan culinaire, imprime le plus sa marque. La caractère flamand de la région ne subsiste aujourd'hui que dans quelques cités, comme Arras, la capitale de l'ancien comté d'Artois. Les maisons à pignons édifiées sur de gros piliers de grès constituent un bel ensemble, avec le haut beffroi de l'hôtel de ville de style flamand et la cathédrale Saint-Vaast. Situées sur la côte, juste en face de la Grande-Bretagne, Boulogne-sur-Mer, Calais et Dunkerque sont très fréquentés par les touristes britanniques qui viennent passer la journée en France pour visiter la ville, le port, les restaurants et faire honneur au vin et à la bière jusque tard dans la nuit. Les gens du Nord sont connus pour leur sens de la fête, leur joie de vivre et leur appétit. La cuisine du Nord-Pas-de-Calais est assez riche et copieuse, relativement proche de celle de la Picardie. Comme il n'y a pas de vignes dans la région, on cuisine volontiers à la bière ou au genièvre. La soupe à la bière *(p. 59)*, la carbonade flamande (un ragoût en sauce brune à la bière) *(p. 97)* ainsi que le coq à la bière en sont des illustrations savoureuses. Les fromages de lait de vache à croûte lavée et à saveur forte de la famille du maroilles font venir l'eau à la bouche des amateurs. Ce sont des fromages à pâte molle dont on lave la croûte à la bière et qui développent un goût de plus en plus marqué au fur et à mesure qu'ils s'affinent; on les déguste volontiers avec un petit verre de genièvre. En dessert, les délicieuses gaufres flamandes, de tradition ancestrale, sont très appréciées.

Les 6 Bourgeois de Calais, qui, en 1347, s'offrirent en victimes expiatoires au roi d'Angleterre, ont été sculptés par Rodin et constituent le célèbre monument commémoratif de la cité devant l'hôtel de ville.

Les fêtes: Pour connaître la région et ses habitants, les fêtes locales sont une tradition incontournable, dont voici une petite sélection. Lors du carnaval de Dunkerque, la bière coule à flots: cette fête remonte à l'époque des pêcheurs de morue, qui, avant de partir vers les eaux glacées du Nord, cherchaient l'oubli dans la fête. Des groupes de gens masqués font tourner des ombrelles de toutes les couleurs; on danse et on chante sur la musique du carnaval en suivant les défilés de majorettes sous des pluies de confettis. Le spectacle est différent, à la mi-août, à Boulogne-sur-Mer, Calais et Dunkerque. Pour la procession des marins en l'honneur de la Bénédiction de la mer, le port et les bateaux sont ornés de fleurs. Une fois par an, le premier week-end de septembre, Lille ressemble à un gigantesque marché aux puces lors de la Grande Braderie. Tout le monde peut déballer des vieilleries sur le trottoir pour les vendre. Jour et nuit, des milliers de visiteurs se promènent dans les rues, où se succèdent les vieilles demeures baroques, les édifices civils et religieux de différentes époques. Ils butent sur des objets de toutes sortes en grignotant le casse-croûte local traditionnel: moules et frites. Si vous ne trouvez rien à la brocante, achetez simplement une bouteille de genièvre. Le dernier week-end avant Noël, la fête de la Dinde, à Licques (au sud de Calais), rappelle que ce volatile fut introduit d'Amérique du Sud en Europe par les conquérants espagnols au XVe siècle. C'est devenu un élevage traditionnel dans la cité et depuis lors l'animal intervient dans des scènes pittoresques. On peut assister, par exemple, au grand défilé des dindons dans les rues de la ville, suivi par les habitants des environs en costume floklorique. Après le marché, un grand repas communal est organisé.

À Arras, autour de la Grand-Place, 155 demeures à pignons sont alignées avec beaucoup d'allure : elles reposent sur 345 puissants piliers de grès.

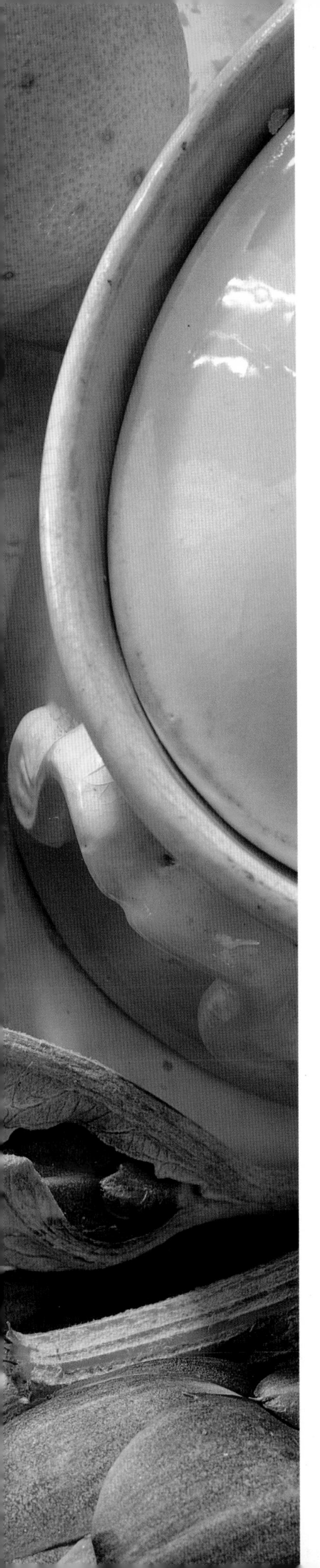

AMUSE-GUEULE ENTRÉES ET HORS-D'ŒUVRE

Conçus pour mettre en appétit, les amuse-gueule servent souvent à introduire le repas, à moins que l'on préfère un hors-d'œuvre ou une entrée un peu plus consistante. Les tartes salées, les soufflés ou les croûtes garnies, qui sont des entrées chaudes, peuvent très bien accompagner l'apéritif, que l'on réserve plutôt pour le repas du soir entre amis. Selon la région, le choix des apéritifs est aussi varié que les spécialités locales, avec, par exemple, le pineau des Charentes (vin de liqueur à base de moût et de cognac) ou le pommeau normand (mélange de cidre et de calvados), mais aussi du champagne, un kir (vin blanc et crème de cassis) ou un simple verre de vin, blanc ou rouge. Les entrées ne sont pas nécessairement des plats compliqués qui demandent beaucoup de temps de préparation. Toute l'année, le plateau d'huîtres avec des quartiers de citron (ou du vinaigre à l'échalote), du beurre et du pain de seigle constitue une savoureuse introduction. En été, un melon bien mûr, notamment le fameux cantaloup charentais, servi avec un verre de pineau bien frappé, fait une entrée très appréciée, légère et rafraîchissante. Mais que serait un repas français sans salade? Outre la traditionnelle salade verte à la vinaigrette que l'on propose volontiers après le plat principal et souvent avec le plateau de fromages, il existe dans les régions du Nord et de l'Ouest des salades composées particulièrement délicieuses, à base de fruits de mer, de légumes ou enrichies de fromage. Elles peuvent parfois suffire pour un déjeuner rapide, de même que les crêpes salées garnies, comme en Bretagne. La grande fierté des maîtresses de maison est l'une de ces recettes de pâté en croûte ou de terrine dont on garde jalousement le secret de génération en génération. Elles évoquent ce temps où les femmes pouvaient passer de longues heures en cuisine à préparer des repas pour de grandes tablées familiales. Aujourd'hui, la confection d'un pâté en croûte, que l'on peut cuisiner la veille et en utilisant une pâte toute faite, ne présente pas de difficultés majeures, et vos invités en garderont un souvenir ébloui. Bon appétit!

Salade de fruits de mer

Côte atlantique • Se prépare à l'avance

Une vinaigrette pour accompagner des fruits de mer

Pour 4 personnes:
Pour le court-bouillon:
3 l d'eau
50 cl de vin blanc sec
(coteaux-du-loir, par exemple)
sel
10 grains de poivre écrasés
1 oignon
2 carottes
1 branche de céleri
1 brin de thym frais
1 feuille de laurier
200 g de moules de bouchot
12 palourdes (ou 250 g de clams)
2 homards ou 2 langoustes frais
de 500 g chacun (ébouillantés
de 2 à 3 mn par le poissonnier)
12 langoustines fraîches
(800 g environ)
12 grosses crevettes roses crues
(300 g environ)

Pour la vinaigrette:
le jus de 1 citron
1 c. à c. de moutarde blanche
sel
poivre noir du moulin
1 pincée de sucre
5 c. à s. d'huile végétale
4 branches de céleri bien tendres
avec le vert

Temps de préparation: 50 mn
(+ 30 mn de refroidissement)

Par portion: 2 600 kJ/620 kcal

1 Faites bouillir l'eau et le vin dans un grand faitout, salez et poivrez. Pelez l'oignon, lavez les légumes, tronçonnez-les, ajoutez-les dans le faitout avec le thym et le laurier. Faites cuire sur feu moyen à couvert pendant 15 minutes. Passez le liquide.

2 Brossez soigneusement coquillages et crustacés sous l'eau froide. Jetez les moules qui restent ouvertes. Faites cuire les homards (ou les langoustes) dans le court-bouillon sur feu doux à couvert pendant 10 minutes. Ajoutez les autres fruits de mer dans le faitout et poursuivez la cuisson pendant 5 minutes. Égouttez coquillages et crustacés dans une passoire et laissez refroidir. Faites cuire les moules encore fermées de 2 à 4 minutes sur feu vif jusqu'à ce qu'elles s'ouvrent. Jetez celles qui restent fermées.

3 Mélangez dans un bol le jus de citron et la moutarde, salez, poivrez et sucrez, puis ajoutez l'huile en fouettant. Ébouillantez le céleri et ciselez les feuilles, réservez-les. Émincez finement le céleri et ajoutez-le dans le saladier.

4 Détachez les pinces des homards avec des ciseaux de cuisine en les coupant près du corps. Sectionnez la queue au milieu du corps avec un couteau ou des cisailles, ôtez le boyau noir. Retirez les têtes.

5 Ouvrez les carapaces avec vos mains, prélevez la chair avec une cuillère, puis détaillez-la en médaillons de 2 cm d'épaisseur. Cassez les pinces et extrayez-en la chair en la laissant entière.

6 Décortiquez également les langoustines et les crevettes. Décoquillez les moules et les coquillages en éliminant seulement une coquille sur deux.

7 Répartissez les fruits de mer dans 4 grandes coupes de service, en verre de préférence. Ajoutez les feuilles de céleri en garniture, arrosez avec un peu de vinaigrette et servez le reste en saucière. Proposez en même temps du pain frais bien croustillant.

Chiffonnade de saint-jacques

Côte atlantique • Facile

Coquilles saint-jacques sur un lit de verdure

Pour 4 personnes:
12 coquilles saint-jacques extra-fraîches (ouvertes par le poissonnier) ou les noix et le corail de 12 saint-jacques (400 g environ) décongelées
le jus de 2 citrons
sel
poivre mélangé grossièrement moulu
8 c. à s. d'huile végétale
2 échalotes (40 g environ)
1 petite batavia
1 petite scarole
1 c. à s. de beurre
aneth frais pour le décor (facultatif)

Temps de préparation: 20 mn

Par portion: 1 100 kJ/260 kcal

1 Séparez les noix du corail et retirez les barbes noires. Lavez les noix et le corail, épongez-les et réservez.

2 Mélangez dans un saladier le jus de citron, du sel et du poivre, puis ajoutez l'huile en remuant. Ajoutez les noix des saint-jacques fraîches et laissez-les mariner. (Si ce sont des saint-jacques surgelées, puis décongelées, réservez-les au frais jusqu'à la cuisson. Ne les faites pas mariner.) Pelez et émincez les échalotes, ajoutez-les aux saint-jacques.

3 Effeuillez les salades, lavez-les, épongez-les et ciselez-les. Répartissez-les en les mélangeant sur 4 grandes assiettes de service.

4 Juste avant de servir, faites chauffer le beurre dans une grande poêle. Faites dorer les saint-jacques non marinées de 1 à 2 minutes de chaque côté sur feu moyen. Retirez la poêle du feu, salez et poivrez, laissez reposer de 1 à 2 minutes. Égouttez les saint-jacques marinées, ne les faites pas cuire. Détaillez les noix (cuites ou non) en tranches de 1 cm d'épaisseur.

5 Répartissez les noix de saint-jacques, le corail et les échalotes sur la salade et arrosez de marinade. Garnissez éventuellement d'aneth. Servez aussitôt avec des toasts de pain de mie ou du pain frais.

Salade tiède de homard

Bretagne • Facile

Homard en vinaigrette aux petits légumes

Pour 4 personnes:
400 g de petits pois frais
16 pointes d'asperges (1 botte de 500 g environ) • sel
2 homards frais de 500 g chacun (ébouillantés de 2 à 3 mn par le poissonnier)

Pour la vinaigrette:
1 ½ c. à s. de vinaigre de xérès • sel
5 c. à s. d'huile (de noisette éventuellement)
poivre mélangé fraîchement moulu

Temps de préparation: 40 mn

Par portion: 1 500 kJ/360 kcal

1 Écossez les petits pois, pelez les asperges. Faites-les cuire, de préférence séparément, à l'eau bouillante salée sur feu vif de 7 à 10 minutes. Rafraîchissez-les à l'eau froide et égouttez-les.

2 Faites bouillir de 4 à 5 litres d'eau salée dans un grand faitout. Plongez-y les homards blanchis et laissez-les cuire sur feu doux à couvert de 10 à 15 minutes. Videz l'eau et réservez les homards au chaud dans le faitout. Mélangez dans un bol le vinaigre, le sel et l'huile. Poivrez. Répartissez les petits pois et les pointes d'asperges dans 4 grandes assiettes de service.

3 Retirez les pinces des homards. Cassez-les avec des pinces ou des ciseaux et retirez la chair. Laissez-la au chaud dans le faitout. Posez les homards sur le dos sur une planche à découper, séparez la tête du corps avec un couteau, puis fendez la queue en deux et retirez la chair *(voir p. 29, étapes 4 et 5)*. Éliminez le boyau noir. Ajoutez sur chaque assiette ½ queue de homard et la chair d'une pince. Arrosez de vinaigrette et servez tiède avec du pain frais.

Coulommiers en salade

Île-de-France • Facile

Salade mélangée et fromage croustillant

Pour 4 personnes:
Pour la vinaigrette:
3 c. à s. de vinaigre de xérès
1 c. à c. de moutarde forte • sel
poivre mélangé fraîchement moulu
1 pincée de sucre
7 c. à s. d'huile végétale
2 c. à s. d'huile de noix

Pour la salade:
300 g de salade mélangée
(trévise, frisée et feuilles
de chêne, par exemple)
½ bouquet de ciboulette
½ concombre
4 jeunes carottes (100 g)
50 g de cerneaux de noix • 1 œuf
sel • poivre mélangé du moulin
4 à 5 c. à s. d'huile d'arachide
1 coulommiers pas trop affiné
1 c. à s. de farine
8 c. à s. de chapelure

Temps de préparation: 35 mn
Par portion: 3 400 kJ/800 kcal

1 Mélangez dans une jatte le vinaigre, la moutarde, du sel, du poivre et le sucre. Ajoutez les deux huiles en fouettant.

2 Effeuillez les salades. Lavez-les ainsi que la ciboulette, le concombre et les carottes. Essorez les salades, épongez ciboulette, concombre et carottes. Ciselez les salades, ajoutez la vinaigrette, mais ne remuez pas. Râpez les carottes, ajoutez-les sur la salade avec les noix. Émincez finement le concombre, recoupez les lamelles en demi-lunes et décorez-en le bord de 4 grandes assiettes de service. Ciselez la ciboulette.

3 Cassez l'œuf dans une assiette creuse, salez et poivrez, battez-le avec 1 c. à s. d'huile. Coupez le coulommiers en quatre parts. Passez-les une par une d'abord dans la farine, puis dans l'œuf et enfin dans la chapelure. Faites chauffer le reste d'huile dans une poêle. Mettez-y les portions de fromage panées et faites-les dorer sur feu moyen des deux côtés de 2 à 3 minutes. Remuez la salade et répartissez-la sur les assiettes.

4 Posez les portions de fromage bien croustillantes dessus et parsemez de ciboulette. Servez aussitôt avec de la baguette bien fraîche.

Le brie

Au VIIe siècle, le brie était déjà présent sur la table des princes. Le nom de ce fromage est sujet à différentes interprétations. Il pourrait venir d'un terme celte, «briga», qui veut dire «disque». Il faut faire la différence entre les bries de fabrication industrielle, à base de lait pasteurisé, et les vrais bries fermiers au lait cru, tels que l'on peut encore les trouver dans certaines fermes ou laiteries artisanales de Seine-et-Marne. Le lait entier et cru est caillé, puis moulé à la main dans des formes spéciales. Les jours suivants, on procède, toujours à la main, au salage et au retournement des fromages. À partir du septième jour, les bries commencent leur affinage. Au cours des six à dix semaines qui suivent, le fromager-affineur retourne les bries, entreposés dans des caves fraîches et humides, deux ou trois fois par semaine et surveille la maturation de la croûte et de la pâte.

Un brie bien affiné doit présenter une croûte blanche irrégulière, avec des traînées rougeâtres et une pâte souple et jaune. La meilleure saison du brie va d'octobre à juin. On l'accompagne de pain de campagne et de vin rouge ou encore de cidre. Le brie se conserve dans le bas du réfrigérateur avec les légumes, pas plus de cinq à six jours. Le coulommiers est deux fois plus petit que le brie de Meaux ou le brie de Melun, il est en général plus doux et de goût moins salé.

Les bries sont présentés à nu sur des paillons.

Salade parisienne

aux légumes, fromage et jambon

Se prépare à l'avance

Pour 4 personnes:
4 à 5 c. à s. de mayonnaise (maison ou toute faite)
4 petites carottes (100 g)
4 navets blancs (150 g)
100 g de haricots verts extra-fins
200 g de petits pois frais
4 tomates de 200 g chacune
sel
100 g de comté ou de gruyère
1 tranche épaisse (200 g) de jambon blanc (jambon de Paris)

Temps de préparation: 1 h

Par portion: 2 200 kJ/520 kcal

1 Préparez la mayonnaise (voir note). Parez les légumes, lavez-les, pelez carottes et navets, taillez-les en petits dés. Effilez les haricots verts, écossez les petits pois. Décalottez horizontalement les tomates sous le pédoncule et videz l'intérieur avec une petite cuillère.

2 Faites cuire les carottes, les navets, les haricots verts et les petits pois, de préférence séparément, à l'eau bouillante salée de 5 à 7 minutes. Égouttez-les et rafraîchissez-les à l'eau froide. Coupez en petits dés les haricots verts, le fromage et le jambon. Mélangez délicatement les légumes, le fromage et le jambon avec la mayonnaise. Remplissez les tomates évidées de ce mélange et reposez les chapeaux par-dessus.

3 Juste avant de servir, garnissez les assiettes de service avec le reste de macédoine et posez les tomates farcies dessus. Servez en entrée ou en petit plat avec de la baguette. (On ne mange pas les chapeaux des tomates.)

Note: La mayonnaise est facile à préparer. Pour 100 g, mélangez intimement 1 jaune d'œuf extra-frais avec une pointe de moutarde, du sel et du poivre; incorporez ensuite, goutte à goutte puis en filet, 10 cl d'huile végétale en fouettant jusqu'à consistance bien ferme. Ajoutez le jus de 1/4 de citron et une pincée de sucre. Les préparations à la mayonnaise sont plus légères si vous remplacez la moitié de celle-ci par de la crème fraîche.

Salades de pommes de terre

aux cornichons, câpres et saint-paulin

Flandre • Facile

Pour 4 personnes:
1 œuf dur • 3 échalotes (100 g)
1 bouquet de persil plat
1 bouquet de ciboulette
4 à 8 cornichons
1 à 2 c. à s. de câpres
200 g de saint-paulin (ou Bonbel)
600 g de petites pommes de terre à chair ferme (rattes de préférence)
200 g de salade de saison
3 c. à s. de vinaigre de vin
9 c. à s. d'huile d'arachide
1 c. à s. de moutarde forte
sel • poivre

Temps de préparation: 45 mn
Par portion: 2 000 kJ/480 kcal

1 Écalez l'œuf et hachez-le finement. Pelez les échalotes. Lavez les fines herbes, épongez-les. Hachez finement les échalotes, le persil, les cornichons et les câpres. Coupez le fromage en tranches de 0,5 cm d'épaisseur.

2 Lavez les pommes de terre. Faites-les cuire dans leur peau à l'eau bouillante salée sur feu moyen de 10 à 15 minutes. Égouttez-les et laissez-les refroidir. Pendant ce temps, lavez la salade, essorez-la et taillez-la en chiffonnade. Répartissez-la dans 4 assiettes de service. Mélangez par ailleurs le vinaigre, l'huile et la moutarde, salez et poivrez. Incorporez en remuant l'œuf haché, les échalotes, le persil, les cornichons et les câpres: on obtient ainsi une sauce ravigote.

3 Ciselez finement la ciboulette. Pelez les pommes de terre et coupez-les en rondelles de 0,5 cm d'épaisseur. Disposez-les en couronne sur la salade en intercalant régulièrement les tranches de fromage.

4 Versez la sauce ravigote par petites touches sur les assiettes garnies et parsemez de ciboulette. Servez aussitôt, alors que les pommes de terre sont encore tièdes de préférence.

Sauce aux lumas

Poitou • Très facile

Escargots avec une persillade au jambon

Pour 4 personnes:
250 g d'escargots décoquillés en boîte, prêts à cuire
4 douzaines de coquilles vides et propres
3 ciboules (125 g environ)
2 ou 3 gousses d'ail
100 g de jambon de campagne cru
1 à 2 c. à s. de saindoux
75 cl de vin rouge fruité (vin du Thouarsais, par exemple)
1 c. à s. de beurre
1 c. à s. de farine • sel et poivre
feuilles de persil plat pour garnir

Temps de préparation: 1 h 30
Par portion: 1 700 kJ/400 kcal

1 Égouttez les escargots dans une passoire, puis remettez-les un par un dans les coquilles. Parez les ciboules, lavez-les et épongez-les. Taillez en fines rondelles uniquement la partie claire. Pelez les gousses d'ail, fendez-les en deux, retirez le germe. Taillez l'ail et le jambon en petits dés.

2 Faites chauffer le saindoux dans une grande poêle. Faites revenir en remuant les ciboules, l'ail et le jambon de 3 à 4 minutes sur feu moyen. Versez le vin, faites bouillir vivement pendant 5 minutes sur feu vif. Mélangez le beurre avec la farine, puis liez la sauce avec ce beurre manié et versez ensuite doucement 25 cl d'eau. Salez et poivrez modérément, puis mettez les escargots en coquille dans cette sauce. Couvrez et faites mijoter doucement pendant 1 heure, en arrosant souvent de sauce. Garnissez de persil pour servir.

3 Servez les escargots en sauce bien chauds dans des assiettes creuses. Dégustez avec des cuillères à soupe et des couverts à escargots (ou des pique-olive pour les décoquiller). Servez avec du pain de campagne bien frais.

Conseil: Si vous trouvez la sauce trop amère, laissez-y fondre, en remuant, un petit carré de chocolat au lait.

Œufs en ramequins

Se prépare à l'avance

avec des crevettes et gratinés

Pour 4 à 6 personnes, soit 4 à 6 ramequins en porcelaine ou en verre à feu de 10 cm de diamètre:
25 g de beurre
1 c. à s. bombée de farine
1/3 de l de bière blonde (voir conseil)
1 c. à c. bombée de moutarde forte
3 c. à s. de crème fraîche
sel et poivre blanc du moulin
1/2 bouquet de ciboulette
un peu de beurre pour les ramequins
6 œufs durs
18 à 24 petites crevettes (400 g)
30 g de fromage râpé (comté ou gruyère)

Temps de préparation: 45 mn

Par portion: 940 kJ/220 kcal

1 Faites fondre le beurre dans une grande casserole. Ajoutez la farine et faites-la cuire en remuant sur feu doux, puis versez la bière petit à petit. Laissez cuire à découvert sur feu moyen pendant 15 minutes, en remuant souvent. Incorporez la moutarde et la crème fraîche, laissez mijoter encore 5 minutes. Salez et poivrez. Lavez la ciboulette, épongez-la et ciselez-la. Beurrez les ramequins. Écalez les œufs, coupez-les en deux dans la longueur et répartissez-les dans les ramequins.

2 Préchauffez le four à 250 °C (th. 9). Faites chauffer 1 litre d'eau salée dans une casserole. Ajoutez les crevettes et laissez-les pocher sur feu très doux de 2 à 3 minutes. Rafraîchissez-les, décortiquez-les et jetez les têtes. Répartissez la sauce et les crevettes sur les œufs, puis poudrez de fromage. Faites cuire dans le haut du four pendant 10 minutes. Sortez les ramequins lorsque le dessus est bien doré.

3 Posez les ramequins sur des assiettes de service qui résistent à la chaleur, parsemez de ciboulette et servez aussitôt en entrée chaude ou avec une salade verte comme plat léger pour un déjeuner rapide.

Conseil: Si vous n'aimez pas le goût de la bière, préparez la sauce à la moutarde avec 1/3 de litre de lait chaud.

Maison na pas de Succursale
République 33
NATIONALE

Ficelles picardes

Se prépare à l'avance

Crêpes au jambon et aux champignons

Pour 4 personnes, soit un plat à gratin de 20 x 25 cm:

Pour la pâte à crêpes:
20 cl de lait
1 c. à s. de beurre
2 œufs extra-frais
1 pincée de sel
80 g de farine

Pour la garniture:
1 échalote de 30 g environ
12 cl de lait
3 c. à s. de beurre
½ c. à s. de farine
sel et poivre blanc du moulin
4 fines tranches de jambon à l'os ou de jambon cuit (200 g)
175 g de petits champignons de couche
1 à 2 c. à s. de crème fraîche épaisse
80 à 100 g de gruyère grossièrement râpé

Pour l'accompagnement:
1 scarole
½ bouquet de ciboulette

Temps de préparation: 1 h 10 (+ 2 h de repos)

Par portion: 2 700 kJ/640 kcal

1 Faites chauffer le lait et ajoutez 1 c. à s. de beurre. Battez les œufs en omelette dans une terrine avec le sel. Versez alternativement le lait et la farine, en remuant, jusqu'à consistance de pâte à crêpes bien lisse. Laissez reposer 2 heures.

2 Pelez l'échalote et hachez-la finement. Faites chauffer le lait pour la sauce Béchamel. Faites chauffer 1 c. à s. de beurre dans une autre casserole, ajoutez l'échalote et faites-la revenir en remuant sur feu doux. Poudrez de farine, puis versez le lait chaud peu à peu en remuant. Salez et poivrez. Laissez mijoter à couvert pendant 20 minutes.

3 Pendant ce temps, coupez 2 tranches de jambon en petits dés. Nettoyez les champignons, puis émincez-les finement. Faites chauffer 1 c. à s. de beurre dans une grande poêle, ajoutez les champignons et faites-les sauter sur feu vif de 2 à 3 minutes. Salez et poivrez. Ajoutez dans la sauce la crème fraîche, la moitié du fromage râpé, la moitié des dés de jambon et des champignons. Réservez. Beurrez un plat à gratin.

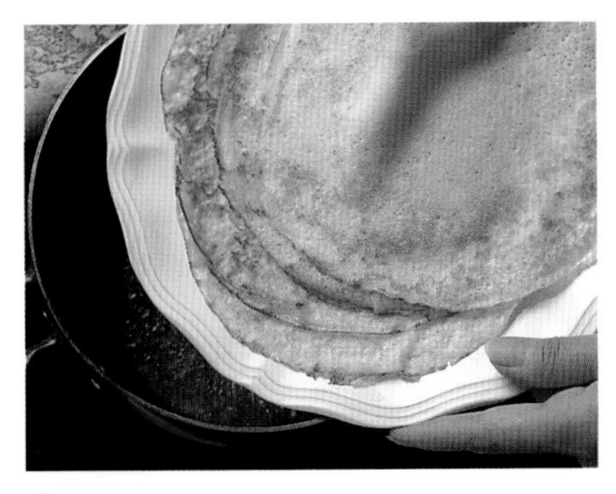

4 Faites bouillir un peu d'eau dans une casserole. Posez une assiette plate dessus. Faites chauffer 1 c. à s. de beurre dans une grande poêle. Faites-y cuire 4 grandes crêpes l'une après l'autre sur feu moyen, de 1 à 2 minutes de chaque côté. Réservez au chaud sur l'assiette. Remettez un peu de beurre dans la poêle avant de faire cuire chaque crêpe.

5 Préchauffez le four à 200 °C (th. 6). Posez sur chaque crêpe tenue au chaud ½ tranche de jambon, puis nappez de sauce et roulez la crêpe sur elle-même. Rangez les crêpes garnies dans le plat à gratin beurré. Recouvrez-les avec le reste de fromage, de jambon et de champignons. Faites gratiner dans le haut du four à 200 °C, pendant 10 minutes, jusqu'à ce que le fromage soit bien doré.

6 Pendant ce temps, effeuillez la salade, lavez-la et essorez-la. Taillez-la en chiffonnade. Lavez la ciboulette, épongez-la et ciselez-la. Répartissez la salade sur des assiettes de service.

7 Posez les ficelles picardes bien chaudes sur le lit de salade, parsemez de ciboulette et servez aussitôt en entrée chaude ou en plat léger.

Boisson: Avec ces crêpes garnies, proposez un cidre de Picardie.

Galettes de sarrasin

au lard et jaune d'œuf

Bretagne • Se prépare à l'avance

Pour 4 personnes:
Pour la pâte à crêpes
(8 crêpes de 30 cm de diamètre):
125 g de farine de sarrasin
2 ou 3 pincées de sel
2 œufs extra-frais • 20 cl d'eau
15 g de beurre demi-sel
ou 1 c. à s. d'huile végétale
12 cl de cidre brut
75 g de beurre demi-sel
pour la cuisson

Pour la garniture:
4 tranches de lard de poitrine (80 g)
4 jaunes d'œufs extra-frais
1/2 c. à s. de beurre
sel • poivre mélangé du moulin
4 c. à s. de crème fraîche

Temps de préparation: 45 mn
(+ 4 h de repos)

Par portion: 2 300 kJ/550 kcal

1 Mélangez dans une grande terrine la farine, le sel, les œufs, puis l'eau, peu à peu en remuant avec une cuillère en bois. Battez vivement la pâte pendant 10 minutes jusqu'à consistance onctueuse. Laissez reposer au frais à couvert de 2 à 4 heures.

2 Faites fondre le beurre dans une petite casserole. Ajoutez-le dans la pâte à crêpes ainsi que le cidre. (Si vous utilisez de l'huile, il n'est pas nécessaire de faire chauffer.) La pâte doit rester encore assez épaisse.

3 Faites bouillir un peu d'eau dans une casserole et posez une grande assiette plate dessus. Faites chauffer 1/2 c. à s. de beurre dans une grande poêle. Confectionnez 8 grandes crêpes assez minces en les faisant cuire sur feu moyen pendant 2 minutes de chaque côté, jusqu'à ce qu'elles soient bien dorées et qu'elles se détachent de la poêle en formant des bulles. Tenez-les chaudes sur l'assiette au fur et à mesure et ajoutez du beurre dans la poêle pour chaque crêpe.

4 Faites ensuite revenir les tranches de lard dans la poêle de 1 à 2 minutes de chaque côté, jusqu'à ce qu'elles soient croustillantes. Pendant ce temps, faites cuire les jaunes d'œufs dans une autre poêle avec 1/2 c. à s. de beurre. Salez et poivrez. Repliez les crêpes en quatre.

5 Placez 2 galettes de sarrasin sur chaque assiette de service chaude. Posez dessus 1 jaune d'œuf en ajoutant sur chacun 1 c. à c. de crème fraîche ainsi que les tranches de lard en garniture. Servez aussitôt comme en-cas ou en entrée rustique, avec du cidre.

Important: Veillez à choisir des jaunes d'œufs de toute première fraîcheur.

Le cidre

Le cidre est produit artisanalement selon des méthodes traditionnelles.

D'après certains témoignages, le cidre était une boisson que l'on connaissait déjà dans l'Antiquité. Les Hébreux en consommaient ainsi que certains peuples d'Afrique du Nord, qui enseignèrent la manière de le fabriquer aux habitants du nord de l'Espagne, dans le Pays basque. De cette région, le cidre parvint par voie maritime, au XVe siècle, dans les ports normands de Cherbourg, Granville, Isigny et Régneville.

Le cidre est produit à partir de pur jus de pomme, selon le pourcentage suivant: 40 % de fruits doux, 40 % de fruits âpres et 20 % de fruits acides. Pendant la fermentation, qui dure deux mois, le sucre des pommes se transforme en alcool. Au début, le cidre est encore doux (2 % d'alcool), puis il devient demi-sec (3,5 % d'alcool) et enfin brut (de 4,5 à 5 % d'alcool). À chacun de ces états, le cidre bouché est mis dans des bouteilles muselées comme celles du champagne, avec du fil de fer autour du bouchon.

Le cidre est une boisson à consommer jeune, dans l'année de sa fabrication, qui a lieu en automne. On le boit doux, demi-sec ou brut selon les goûts. Cette boisson rafraîchissante accompagne bien les menus régionaux, à une température de 8 à 12 °C. Pour l'apéritif, on peut mélanger du cidre brut avec de la liqueur de cassis ou de framboise. Avec un dessert, on sert plutôt un cidre doux. En cuisine, on prendra de préférence un cidre brut ou demi-sec.

Goyère de Valenciennes

Nord • Se prépare à l'avance

Tarte au maroilles

Pour 4 à 8 personnes, soit un moule à tarte de 24 cm de diamètre:
250 g de fromage frais à 40 % de matière grasse
80 g de beurre salé à température ambiante • 3 c. à s. de lait
10 g de levure de boulanger
150 g de farine environ
1 ou 2 pincées de sucre
3 œufs extra-frais • 400 g de maroilles
75 g de crème fraîche • poivre blanc

Temps de préparation: 1 h 45 (+ 1 h d'égouttage + 1 h 20 de repos)
Par portion (pour 8 personnes): 2 500 kJ/600 kcal

1 Laissez égoutter le fromage frais pendant 1 heure: vous devez en avoir 100 g. Beurrez le moule. Faites chauffer le lait. Émiettez la levure dans une terrine, ajoutez le lait et mélangez. Incorporez en remuant 100 g de farine, le sucre, 1 œuf et le beurre. Ajoutez environ 50 g de farine et travaillez la pâte jusqu'à ce qu'elle ne colle plus. Abaissez-la en un disque de 30 cm et garnissez-en le moule. Laissez reposer pendant 1 heure dans un endroit chaud.

2 Préchauffez le four à 200 °C (th. 6). Écroûtez le maroilles et coupez-le en lamelles. Étalez-en la moitié sur le fond de tarte; écrasez le reste à la fourchette.

3 Mélangez en fouettant le fromage frais, le maroilles écrasé, la crème fraîche et les œufs restants. Poivrez, puis versez ce mélange sur le fond de tarte. Lissez le dessus et faites cuire dans le four à mi-hauteur à 200 °C de 35 à 40 minutes, jusqu'à ce que la garniture au fromage ait doublé de volume. Laissez reposer 20 minutes dans le four, porte ouverte. Servez à l'apéritif ou comme en-cas avec une salade verte.

Flamique à porions

Picardie • Se prépare à l'avance

Tarte aux poireaux

Pour 4 à 8 personnes, soit un moule à fond amovible de 24 cm de diamètre:
100 g de beurre froid coupé en petits dés
250 g de farine environ
½ c. à c. de sel • 2 œufs très frais
un peu de beurre pour le moule

Pour la garniture:
6 gros blancs de poireaux
50 à 60 g de beurre • sel
poivre mélangé du moulin
4 ou 5 jaunes d'œufs extra-frais
100 g de crème fraîche
1 jaune d'œuf pour dorer

Temps de préparation: 1 h 30 (+ 40 mn de repos)
Par portion (pour 8 personnes): 1 600 kJ/380 kcal

1 Pour la pâte, mélangez le beurre avec 225 g de farine et le sel, puis incorporez les œufs, 1 c. à s. d'eau froide et encore un peu de farine jusqu'à ce que la pâte soit lisse. Beurrez le moule. Abaissez la moitié de la pâte en un disque de 36 cm de diamètre et garnissez-en le moule; piquez le fond à la fourchette. Abaissez le quart de la pâte restante en un disque de 2 cm de diamètre. Réservez au frais le fond de tarte, le couvercle et le reste de pâte pendant au moins 30 minutes.

2 Lavez les poireaux, coupez-les en rondelles de 1 cm d'épaisseur. Faites chauffer le beurre dans une grande poêle, ajoutez les poireaux et faites-les dorer sur feu vif en remuant, de 7 à 10 minutes. Salez et poivrez. Baissez le feu, couvrez et faites-les cuire pendant encore 10 minutes. Laissez-les refroidir. Mélangez les jaunes d'œufs et la crème fraîche, versez le tout sur les poireaux, remuez, salez et poivrez.

3 Préchauffez le four à 250 °C (th. 9). Versez la garniture aux poireaux sur le fond de tarte et posez le couvercle de pâte dessus. Soudez les bords et découpez au centre une ouverture de 2 à 3 cm de diamètre pour faire une cheminée. Dorez le dessus au jaune d'œuf. Abaissez le reste de pâte et découpez-y des motifs décoratifs, puis mettez-les en place. Enfoncez une douille dans la cheminée. Faites cuire dans le four à mi-hauteur à 180 °C (th. 4) de 45 à 50 minutes. Laissez reposer dans le four porte ouverte pendant 10 minutes. Servez tiède à l'apéritif, en entrée chaude ou comme en-cas.

Quiche tourangelle

Quiche aux rillons et rillettes

Touraine • Se prépare à l'avance

Pour 4 à 6 personnes, soit un moule à fond amovible de 24 cm de diamètre (ou 6 moules à tartelettes de 10 cm de diamètre):

Pour la pâte brisée:
125 g de farine
40 g de beurre froid
2 ou 3 pincées de sel
1 petit œuf extra-frais
un peu de beurre pour le moule
(ou 350 g de pâte feuilletée, voir conseils)

Pour la garniture:
1/4 de bouquet de persil
150 g de rillons de Vouvray
2 ou 3 œufs extra-frais
10 cl de lait
150 g de crème fraîche
sel
poivre mélangé du moulin
100 g de rillettes de Tours (voir p. 51)

Temps de préparation: 1 h 50 (+ 45 mn de repos)

Par portion (pour 6 personnes): 2 000 kJ/480 kcal

1 Mélangez la farine, le beurre, le sel, l'œuf et 1 c. à s. d'eau froide, pétrissez et faites une boule. Abaissez la pâte en un disque de 30 cm de diamètre en intercalant un film alimentaire.

2 Beurrez le moule et garnissez-le de pâte. Retirez le film alimentaire, rabattez le bord et découpez-le en dents de scie avec des ciseaux pour faire une bordure décorative. Laissez reposer pendant 30 minutes au frais.

3 Pendant ce temps, préchauffez le four à 200 °C (th. 6). Lavez le persil, épongez-le et ciselez-le. Coupez les rillons en lamelles. Mélangez les œufs avec le lait et la crème, salez et poivrez. Faites cuire le fond de tarte à blanc à mi-hauteur du four de 10 à 15 minutes. Piquez le fond à la fourchette et garnissez-le de rillons et de rillettes, parsemez de persil et versez la crème aux œufs dessus.

4 Faites cuire la quiche dans le four à mi-hauteur pendant 10 minutes, puis poursuivez la cuisson pendant 45 minutes à 175 °C (th. 3-4). Laissez reposer pendant 15 minutes, porte ouverte, avant de servir.

5 Coupez la quiche en parts et servez-la à l'apéritif, comme entrée chaude ou comme en-cas avec une salade verte.

Boisson: Servez cette quiche tourangelle avec un vin blanc sec de Touraine, de cépage chenin, comme le vouvray.

Conseils: Si vous préférez le goût de l'oie ou du canard, préparez cette quiche avec des rillettes (ou gratons) d'oie ou de canard *(voir variante p. 51)*. La pâte feuilletée est relativement facile à préparer. Pour 350 g de feuilletage, mélangez 125 g de farine avec 75 g de beurre, 3 c. à s. d'eau froide et 1/2 c. à c. de sel. Laissez reposer pendant 30 minutes au frais, puis abaissez la pâte en rectangle allongé sur le plan de travail fariné. Posez au milieu de la pâte de 75 à 125 g de beurre froid (plus vous mettez de beurre, meilleur est le feuilletage). Rabattez les petits côtés du rectangle par-dessus, puis abaissez et farinez la pâte. Enveloppez-la d'un torchon et laissez reposer pendant encore 30 minutes au frais. Répétez cette opération trois fois de suite (abaissez, repliez et laissez reposer au frais pendant 30 minutes). Enfin, abaissez la pâte en carré et remettez-la au frais dans le torchon jusqu'au moment de l'emploi (la pâte se garde quelques jours dans le réfrigérateur).

Pâté de Pâques du Poitou

Se prépare à l'avance

Viandes et œufs en pâte briochée

Pour 8 à 12 personnes :
Pour la garniture:
750 g de viande (épaule et noix de veau, poitrine et filet de porc)
50 g de jambon cuit
1 oignon • 2 échalotes
2 feuilles de laurier
2 pincées de feuilles de thym
poivre mélangé
33 cl de vin blanc sec
3 cl de cognac
6 œufs • sel
½ bouquet de persil
1 jaune d'œuf pour dorer

Pour la pâte briochée:
2 c. à s. de lait
10 g de levure de boulanger
250 g environ de farine
2 ou 3 pincées de sel
1 pincée de sucre (facultatif)
1 œuf extra-frais
150 g de beurrebeurre et farine pour la tôle du four

Temps de préparation: 3 h (+ 2 jours de marinade + 3 h de repos + 2 jours de refroidissement)

Par portion (pour 12 personnes): 1 600 kJ/380 kcal

1 Lavez et épongez les viandes. Hachez-les grossièrement ainsi que le jambon. Pelez et émincez l'oignon et les échalotes. Mélangez dans une grande terrine les viandes, l'oignon, les échalotes, le laurier et le thym, poivrez, ajoutez le vin blanc et le cognac. Couvrez et laissez mariner au frais pendant 48 heures en remuant souvent.

2 Préparez la pâte: faites chauffer le lait. Émiettez la levure dans une tasse, ajoutez le lait et mélangez. Réunissez dans une grande terrine la farine, le sel et le sucre, la levure et le lait, l'œuf et le beurre, mélangez avec un mixer ou une cuillère en bois jusqu'à consistance bien molle. Beurrez grassement la tôle du four et farinez-la. Partagez la pâte en deux. Poudrez-en une moitié et abaissez-la en un rectangle de 25 × 30 cm sur la tôle. Abaissez le reste en un rectangle de même taille sur du film alimentaire. Couvrez les deux d'un torchon et laissez lever à température ambiante de 1 à 3 heures, jusqu'à ce que la pâte ait doublé de volume.

3 Mettez 4 œufs dans une casserole, couvrez d'eau froide et faites bouillir sur feu moyen à découvert de 6 à 8 minutes. Rafraîchissez-les à l'eau froide et écalez-les. Égouttez les viandes et le jambon (jetez la marinade). Hachez les viandes sans les éponger ou passez-les au hachoir

grosse grille, coupez le jambon en dés. Mélangez les viandes avec les 2 œufs restants, salez et poivrez, puis ajoutez le jambon et le persil lavé, épongé et ciselé.

4 Préchauffez le four à 250 °C (th. 9). Étalez la moitié de la farce sur la pâte de la tôle, au milieu, puis enfoncez-y les œufs, dans le sens de la longueur. Recouvrez du reste de farce et remontez la pâte sur les côtés avec le dos d'une cuillère. Posez le couvercle de pâte dessus et retirez le film alimentaire. Coupez les bouts de pâte qui dépassent, découpez-y des motifs décoratifs. Soudez fermement les côtés et mettez les motifs en place. Dorez le tout au jaune d'œuf.

5 Faites deux cheminées de 3 à 4 cm de diamètre sur le dessus du pâté et enfoncez-y des rectangles de bristol enroulés. Faites cuire le pâté dans le four à mi-hauteur de 13 à 15 minutes. Poursuivez la cuisson pendant 1 heure 15 à 150 °C (th. 2). Laissez reposer le pâté porte ouverte de 5 à 10 minutes. Retirez les bristols des cheminées. Laissez reposer le pâté pendant 2 jours au frais. Coupez-le en tranches épaisses et servez-le en entrée froide ou pour un pique-nique, avec des cornichons.

Vin: Avec le pâté de Pâques, servez un vin léger et fruité, comme le vin du Haut-Poitou: blanc, rouge ou rosé selon votre goût.

Note: Dans le Poitou, les femmes préparaient traditionnellement ce pâté le vendredi saint, sans le goûter, car il était interdit de manger de la viande pendant le carême. Chaque famille possédait sa recette. Selon son degré de fortune, on préparait la pâte avec du saindoux ou du beurre. La farce pouvait varier également selon les disponibilités, mais il fallait toujours mettre des œufs au milieu. Selon une légende de la région, les œufs ramassés le vendredi saint et mangés durs le dimanche de Pâques protégeaient des morsures de serpent.
Vous pouvez ajouter dans la farce 2 ou 3 gousses d'ail finement hachées pour en rehausser la saveur. Ce pâté se conserve de 5 à 6 jours au réfrigérateur.

Pâté de canard d'Amiens

Picardie • Se prépare à l'avance

Pâté en croûte au genièvre

Pour 8 à 12 personnes:
Pour la pâte:
1 kg de farine
200 g de beurre froid en petits dés
1 c. à c. de sel
beurre pour la tôle du four
farine pour le plan de travail
1 jaune d'œuf pour dorer

Pour la farce:
1 canard de 1,7 kg avec ses abats, prêt à cuire
50 g de pain de mie en tranches
100 g de crème fraîche
1 oignon (75 g)
125 g de champignons de Paris
3 tranches de lard de poitrine maigre (125 g)
250 g de foies de canard
25 g de beurre
4 à 5 cl de genièvre
sel
poivre mélangé du moulin
1 ou 2 pincées de thym
200 g de chair de canard ou de lapin désossée
2 œufs extra-frais

Pour la gelée:
2 oignons
2 carottes
2 c. à s. d'huile végétale
2 ou 3 pieds de veau (1,5 kg)
50 cl de vin blanc sec
sel
1 à 2 cl de genièvre

Temps de préparation: 4 h (12 h de refroidissement + 12 h de repos)

Par portion (pour 12 personnes): 3 800 kJ/900 kcal

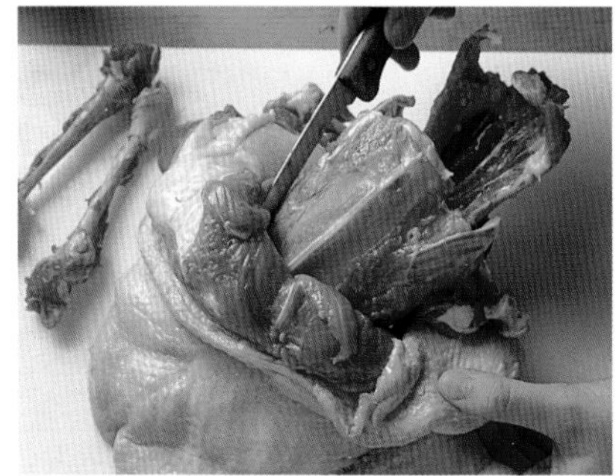

1 Préparez une pâte bien lisse avec la farine, le beurre, le sel et 37 cl d'eau froide. Ramassez-la en boule et laissez-la reposer pendant au moins 1 heure au frais. Lavez le canard et ses abats. Désossez-le avec un petit couteau pointu en retirant les os de la poitrine, du dos, des ailes et des cuisses, sans abîmer la peau. Retirez la chair qui reste sur les os et coupez-la en languettes. Réservez les os et la carcasse.

2 Ramollissez le pain dans la crème fraîche. Pelez l'oignon, nettoyez les champignons, hachez-les finement. Taillez le lard en petits dés et coupez les foies en languettes. Faites chauffer le beurre dans une grande poêle et faites-y revenir les lardons, l'oignon, les foies de canard et les champignons sur feu vif de 1 à 2 minutes. Ajoutez le genièvre, enflammez-le et flambez. Salez et poivrez, mettez le thym, mélangez et laissez refroidir.

3 Hachez grossièrement le contenu de la poêle (sauf 3 c. à s.) avec la chair de canard ou de lapin désossée et les abats (ou passez-le au hachoir grosse grille). Mélangez par ailleurs la chair prélevée sur les os, le reste du mélange de la poêle, le pain et la crème fraîche ainsi que les œufs, salez et poivrez. Farcissez le canard.

4 Préchauffez le four à 220 °C (th. 7). Beurrez la tôle du four. Partagez la pâte en deux parties inégales pour obtenir un rectangle de 25 × 35 cm et un autre plus grand de 35 × 45 cm. Posez le petit rectangle sur la tôle du four et placez le canard dessus. Remontez la pâte sur 2 cm le long des flancs du canard, puis posez l'autre rectangle dessus et rabattez la pâte par en dessous. Mettez en place deux cheminées *(voir p. 47, étape 5)*. Dans les chutes de pâte découpez des motifs décoratifs et collez-les sur le dessus du pâté. Dorez au jaune d'œuf. Faites cuire le pâté dans le four à mi-hauteur de 13 à 15 minutes, puis poursuivez la cuisson pendant 1 heure 45 à 150 °C (th. 2). Laissez refroidir le pâté et mettez-le au frais pendant au moins 6 heures.

5 Pour la gelée, pelez les oignons et lavez les carottes, hachez-les grossièrement. Faites chauffer l'huile dans une sauteuse et faites-y revenir les os et la carcasse de canard, les pieds de veau, les oignons et les carottes de 3 à 5 minutes. Ajoutez le vin blanc et faites bouillir, puis versez 1,5 litre d'eau, couvrez et faites mijoter pendant 1 heure. Passez et faites réduire le bouillon à 33 cl environ. Ajoutez le genièvre, laissez refroidir et dégraissez.

6 Faites chauffer la gelée pour la liquéfier. Retirez les cheminées du pâté, puis versez la gelée dans les ouvertures jusqu'à ce qu'elles soient pleines et réservez le reste de gelée. Mettez aussitôt le pâté au frais, bien à plat. Au bout de 3 à 6 heures, faites chauffer le reste de gelée et versez-en à nouveau dans les ouvertures. Remettez le pâté au frais à plat pendant 12 heures au moins. Servez-le en entrée froide, découpé en tranches épaisses.

Rillons de Vouvray

Val de Loire • Se prépare à l'avance

Délicieuse spécialité tourangelle

Pour environ 400 g de rillons:
800 g de lard gras frais non fumé sans la couenne
2 tranches épaisses de poitrine de porc fraîche de 4 cm de large (850 g environ), coupées chacune en 6 morceaux égaux
1 pincée d'aromates (thym et marjolaine, par exemple)
1 ou 2 feuilles de laurier
sel • poivre mélangé du moulin

Temps de préparation: 3 h 30 (+ 24 h de repos)

Par portion: 1700 kJ/400 kcal

1 Lavez le lard et la poitrine de porc, épongez-les. Détaillez le lard en dés de 1 à 2 cm de côté. Faites-le fondre à couvert sur feu moyen dans une grande marmite. Ajoutez dans la graisse fondue les morceaux de poitrine, les aromates et le laurier, salez et poivrez. Couvrez et laissez mijoter sur feu réglé au plus bas pendant 3 heures. Égouttez les morceaux et réservez la graisse filtrée pour faire cuire un rôti (ou pour une conserve).

2 Mettez les rillons dans des pots en grès ou des bocaux que vous fermerez hermétiquement. Mettez-les dans le réfrigérateur pendant au moins 24 heures avant de servir. Ils se conservent de 1 à 2 semaines (de 3 à 4 semaines s'ils sont recouverts de graisse).

3 Quinze minutes avant de les servir, sortez les rillons du réfrigérateur et coupez-les en morceaux. Accompagnez-les de pain de campagne, de cornichons ou de radis, pour un apéritif rustique ou comme petit en-cas; ils servent aussi à préparer la quiche tourangelle *(voir p. 45).*

Vin: Avec un simple vin rouge de pays de Touraine, rillettes et rillons font un apéritif très campagnard.

Rillettes de Tours

Val de Loire • Se prépare à l'avance

Rillettes de porc

Pour 1 kg de rillettes:
800 g de lard gras frais non fumé sans la couenne
1 kg de collier de porc frais désossé (os réservés), coupé en morceaux
2 échalotes
1 ou 2 feuilles de laurier
1 ou 2 pincées de thym
sel
poivre mélangé du moulin

Temps de préparation: 6 h 30 (+ 3 h de refroidissement + 24 h de repos au moins)

Par portion: 2 000 kJ/480 kcal

1 Lavez le lard et les morceaux de viande, épongez-les. Pelez les échalotes. Découpez le lard en dés de 1 à 2 cm de côté et faites-le fondre dans une grande marmite sur feu moyen. Ajoutez les morceaux de viande, les os, les échalotes, le laurier et le thym, salez et poivrez. Couvrez et faites mijoter sur feu le plus bas possible pendant 6 heures. Laissez ensuite refroidir pendant 3 heures. Passez la graisse et réservez-la.

2 Effilochez la viande avec une fourchette et mélangez-la avec 400 g de graisse de cuisson. (Utilisez le reste de lard fondu comme matière grasse en cuisine.) Versez les rillettes dans des pots en grès ou en verre et couvrez-les. Mettez-les au frais pendant au moins 24 heures. Elles se conservent de 2 à 3 semaines au réfrigérateur. Servez-les en entrée froide ou pour un buffet campagnard.

Variantes: Rillettes de canard (ou d'oie)
Elles se préparent comme les rillettes de porc, en remplaçant le lard par de la graisse d'oie ou de canard et la viande de porc par de la chair d'oie ou de canard engraissés. La durée de la cuisson n'est que de 2 à 3 heures. Remplacez les échalotes par une pincée de marjolaine.

Gratons de canard ou d'oie
Préparez la chair d'oie ou de canard comme ci-dessus, mais mettez-la une fois cuite dans un bocal, sans la graisse, et servez à température ambiante.

SOUPES ET POTAGES

Les soupes et les potées appartiennent plutôt au répertoire familial, tandis que les potages et les veloutés apparaissent également dans la cuisine des restaurants. On les aime surtout pour le dîner. Le bouillon peut être confectionné à l'avance. Il ne reste plus alors qu'à ajouter la garniture avant de servir. S'il y a un reste, on le garde pour le lendemain: il est passé, enrichi d'une bonne louche de crème fraîche et constitue un agréable petit potage. Les soupes sont souvent un bon moyen de faire preuve d'imagination. En été, on peut même proposer une soupe de fruits glacée: il suffit de mélanger des fraises coupées en deux avec le jus d'oranges fraîchement pressées et de servir le tout frappé avec un peu de sucre ou un trait de liqueur d'orange.

Quand il fait froid, les potées sont très appréciées et peuvent constituer un plat complet. Le pot-au-feu classique français connaît dans le Nord une version flamande qui prend le nom de hochepot. Avant de le déguster avec une bonne bière, on prendra le temps de humer son arôme réconfortant et d'admirer ses belles couleurs.

Les soupes de poisson sont également très tentantes, parfumées et colorées comme il se doit: elles appartiennent naturellement aux meilleurs plats de poisson de la cuisine française. Les recettes changent selon les régions et les poissons que l'on pêche localement. La cotriade est l'une des plus connues; on peut la savourer en Vendée et en Bretagne. À l'origine, ces soupes étaient préparées par les pêcheurs sur le bateau même ou juste au retour de la pêche avec les poissons qui ne trouvaient pas preneurs à la criée. La recette variait par conséquent selon l'offre et la demande, la saison et les prises du filet. La caudière du Pas-de-Calais ainsi que la chaudrée vendéenne doivent leur nom au «chaudron» dans lequel elles étaient préparées, avec de l'eau de mer pour le bouillon. Quelle que soit aujourd'hui la soupe de poisson choisie, on la déguste toujours avec le vin blanc qui a servi à la préparer.

À la bonne vôtre!

Hochepot flamand

Nord • Assez long

Queue de bœuf, viandes et pommes de terre

Pour 4 personnes:
(faire couper chaque morceau de viande par le boucher en 4 portions)
500 à 600 g de queue de bœuf
800 g à 1 kg de haut de côtes de bœuf
600 g environ d'épaule d'agneau ou de mouton
2 kg de tête de porc (facultatif)
1 oreille de porc
1 ou 2 branches de céleri (éventuellement avec le vert)
2 oignons moyens (150 g environ)
2 ou 3 gousses d'ail
2 tranches de lard de poitrine sans la couenne (100 g)
2 c. à s. d'huile végétale
1 bouquet garni
3 clous de girofle
3 baies de genièvre écrasées
10 grains de poivre écrasés
4 petites carottes (100 g)
4 petits navets (150 g)
4 ciboules (150 g)
600 g de pommes de terre Bintje (ou à chair ferme)
sel
1 petit chou frisé (300 g)

Temps de préparation: 3 h 45

Par portion: 7 500 kJ/1 800 kcal

1 Lavez et épongez les viandes et le céleri. Tronçonnez le céleri, pelez les oignons et les gousses d'ail, ôtez le germe de celles-ci, émincez ail et oignon. Taillez le lard en languettes. Préchauffez le four à 175 °C (th. 3-4).

2 Faites chauffer l'huile dans une grande marmite. Faites-y revenir sur feu vif la queue de bœuf, les lardons et le haut de côtes de 3 à 4 minutes en les retournant souvent. Retirez-les quand ils sont bien saisis. Faites ensuite revenir l'agneau (ou le mouton) dans la graisse fondue. Remettez toutes les viandes dans la marmite, avec l'oreille de porc, le céleri, les oignons, l'ail, le bouquet garni, les clous de girofle, le genièvre et le poivre. Couvrez le tout avec 1,5 litre d'eau et portez à ébullition. Faites cuire à couvert dans le bas du four pendant 2 heures 30. De temps en temps, secouez le contenu de la marmite en la prenant avec des gants isolants par les anses.

3 Pendant ce temps, parez et lavez carottes, navets et ciboules, pelez carottes et navets en laissant 1 cm de base des tiges (s'ils sont gros, coupez-les en tranches). Laissez un peu de vert aux ciboules. Ajoutez ces légumes dans la marmite pendant les dernières 30 minutes de cuisson.

4 Lavez les pommes de terre, faites-les cuire de 15 à 20 minutes dans l'eau bouillante salée, puis égouttez-les et pelez-les. Lavez le chou, détachez une douzaine de feuilles et faites-les cuire de 5 à 8 minutes à couvert dans 1 litre d'eau salée; égouttez-les. Tenez-les au chaud avec les pommes de terre.

5 Tapissez une soupière chaude avec les feuilles de chou. Égouttez les légumes et les viandes avec une écumoire et mettez-les sur le chou avec les pommes de terre. Détaillez l'oreille de porc en lanières, ajoutez-les au reste. Passez le bouillon et dégraissez-le, arrosez le plat avec un peu de bouillon. Garnissez à votre goût de feuilles de céleri. Tenez le tout au chaud dans le four.

6 Faites réchauffer le bouillon et servez-le en tasses comme entrée chaude. Servez le hochepot ensuite.

Note: Le hochepot (également appelé huitspot) comporte nécessairement de la queue de bœuf. Le terme «hocher» (première partie du mot) signifie remuer: il faut en effet secouer plusieurs fois la marmite pendant la cuisson. Le laurier sert à parfumer non seulement les daubes et les ragoûts, mais aussi les soupes, les plats de pommes de terre et même les gâteaux de riz: une feuille suffit, coupée en morceaux, pour donner davantage de parfum. Le laurier fait aussi partie du bouquet garni, avec le persil et le thym. Conservez toujours le laurier dans un récipient sec et fermé, à l'ombre; ne le congelez pas, car il deviendrait amer. Jadis, dans certains villages, il était de tradition d'aller couper une branche du laurier planté sur la place du village si l'on n'en possédait pas un chez soi.

Velouté d'asperges vertes

Centre • Facile

Potage crémeux lié à la crème

Pour 4 personnes:
1 kg d'asperges vertes
50 cl de lait
10 g de beurre
1 pincée de sel
1 pincée de sucre
poivre blanc du moulin
noix muscade fraîchement râpée
2 c. à s. de crème fraîche

Pour la garniture:
quelques brins de cerfeuil

Temps de préparation: 1 h

Par portion: 670 kJ/160 kcal

1 Pelez et lavez les asperges. Taillez des pointes à 4 à 6 cm et tronçonnez les tiges en morceaux de 2 cm.

2 Versez 50 cl d'eau dans une marmite, ajoutez le lait, le beurre, le sel et le sucre, faites bouillir, puis ajoutez 12 pointes d'asperges et laissez-les cuire à découvert sur feu moyen de 7 à 10 minutes. Égouttez-les avec une écumoire et réservez-les pour la garniture. Ajoutez le reste des asperges et faites cuire 10 minutes sur feu moyen à couvert jusqu'à ce qu'elles soient bien tendres. Passez le contenu de la marmite au mixer pour réduire le tout en purée. Remettez le potage dans la marmite, poivrez et agrémentez de muscade, puis ajoutez la crème fraîche. Lavez le cerfeuil, épongez-le et ciselez-le.

3 Répartissez le velouté dans 4 assiettes creuses chaudes, garnissez de pointes d'asperges et de pluches de cerfeuil. Servez aussitôt.

Note: Un velouté est un potage de consistance crémeuse. En cuisine classique, les bouillons de volaille, de poisson ou de viande sont liés avec du beurre manié, mais on utilise aussi volontiers du lait, de la crème fraîche et/ou un jaune d'œuf.

Variante: Vous pouvez également préparer ce velouté avec des asperges blanches; si elles sont minces, le temps de cuisson est le même; si elles sont grosses, rallongez-le de 5 minutes.

Soupe cressonnière

Île-de-France • Facile

L'alliance cresson/pommes de terre

Pour 4 personnes:
400 g de pommes de terre à chair farineuse
1 poireau
1 oignon
sel
35 g environ de beurre
1 feuille de laurier
poivre mélangé du moulin
300 g de cresson
2 c. à s. de crème fraîche
4 tranches de pain + 25 g de beurre (facultatif)

Temps de préparation: 45 mn

Par portion: 1 100 kJ/260 kcal

1 Lavez les pommes de terre et le poireau. Pelez les pommes de terre et l'oignon. Tronçonnez ces légumes en rondelles de 1 cm d'épaisseur. Faites-les cuire dans 1 litre d'eau bouillante sur feu moyen pendant 15 minutes, en ajoutant le sel, 10 g de beurre, le laurier et du poivre.

2 Pendant ce temps, lavez le cresson, essorez-le et effeuillez-le. Réservez-en une poignée pour la garniture et hachez finement le reste. Faites chauffer le reste du beurre dans une poêle, ajoutez le cresson et faites-le fondre sur feu vif en remuant de 1 à 2 minutes. Passez la soupe au moulin à légumes.

3 Remettez la soupe dans une casserole avec le cresson fondu et faites cuire sur feu doux en remuant pendant 10 minutes. Salez et poivrez. Versez la soupe dans une soupière chaude, ajoutez la crème fraîche, puis parsemez le dessus avec les feuilles de cresson réservées. Garnissez éventuellement de croûtons dorés au beurre. Servez aussitôt.

Variante: Potage Crécy (Picardie)
Lavez et émincez 1 blanc de poireau, faites-le étuver dans 15 g de beurre. Lavez, pelez et taillez en dés 250 g de pommes de terre farineuses et 500 g de petites carottes de Crécy (ou autres). Ajoutez-les au poireau avec 1,5 litre d'eau, salez et poivrez. Faites cuire à couvert sur feu moyen pendant 30 minutes. Passez, liez avec 2 ou 3 c. à s. de crème fraîche et servez avec des croûtons.

Soupe flamande à la bière

Nord • Rapide

aux jaunes d'œufs et crème aigre

Pour 4 personnes:
1 l de bière (blonde ou brune au choix)
50 à 75 g de sucre roux ou cristallisé
3 jaunes d'œufs extra-frais
1 ou 2 c. à s. de crème aigre ou de crème fraîche
4 tranches de pain de campagne

Temps de préparation: 20 mn

Par portion: 1 600 kJ/380 kcal

1 Faites bouillir la bière avec le sucre dans une grande casserole à découvert sur feu moyen de 5 à 10 minutes.

2 Mélangez dans une jatte les jaunes d'œufs, la crème aigre et 2 ou 3 c. à s. de bière, puis versez le tout dans la casserole. Portez à la limite de l'ébullition en remuant. Faites griller les tranches de pain.

3 Mettez les tranches de pain dans une soupière, versez le bouillon dessus et servez aussitôt.

Variante: Soupe à la bière
Faites un roux avec 25 g de farine et 25 g de beurre. Versez peu à peu dessus 1 litre de bouillon de bœuf corsé maison ou instantané *(voir note p. 116)* et 50 cl de bière brune. Laissez mijoter sur feu moyen pendant 30 minutes. Ajoutez éventuellement 2 ou 3 cl de genièvre. Faites griller 4 tranches de pain dans le four, chacune saupoudrée de 1 c. à s. de sucre roux. Taillez-les en dés quand elles sont caramélisées. Servez la soupe dessus.

Gratinée

Île-de-France • Se prépare à l'avance

Oignons, vin blanc et gruyère

Pour 4 personnes, soit 4 petites soupières en porcelaine à feu de 14 cm de diamètre:
2 ou 3 gros oignons (400 g environ)
30 g de beurre environ
½ c. à s. rase de farine
25 cl de vin blanc sec (sancerre, par exemple)
sel
poivre blanc du moulin
1 pomme de terre farineuse (75 g)
1 feuille de laurier
12 à 16 rondelles de baguette
160 g de gruyère grossièrement râpé

Temps de préparation: 1 h 10

Par portion: 1 800 kJ/430 kcal

1 Pelez les oignons et émincez-les finement. Faites chauffer le beurre dans 1 ou 2 poêles. Faites-y dorer les oignons sur feu vif en les remuant sans arrêt de 5 à 8 minutes. Saupoudrez de farine et versez le vin, puis laissez bouillonner sur feu vif à découvert pendant 5 minutes. Mettez les oignons et la sauce dans une casserole, versez 1 litre d'eau, portez à ébullition, salez et poivrez.

2 Lavez la pomme de terre, pelez-la et taillez-la en dés. Ajoutez le laurier et la pomme de terre aux oignons, couvrez et laissez cuire sur feu doux pendant 30 minutes. Retirez la feuille de laurier et passez le contenu de la casserole au moulin à légumes, puis répartissez la soupe dans les petites soupières.

3 Préchauffez le four ou le gril à 250 °C (th. 9). Faites griller les rondelles de pain, puis coupez-les en dés. Mélangez les dés de pain et le gruyère. Répartissez ce mélange à la surface des soupières. Glissez celles-ci sous le gril ou dans le haut du four et faites gratiner de 5 à 6 minutes, jusqu'à ce que le fromage soit doré.

4 Sortez les soupières avec des gants isolants et posez-les sur des dessous-de-plat individuels. Servez aussitôt.

Note: Vous pouvez remplacer l'eau par du bouillon, lier la soupe avec un jaune d'œuf avant de la faire gratiner ou encore utiliser une autre variété de fromage (comté, beaufort); vous pouvez aussi mettre un peu de camembert ou de brie dans le fond des soupières. La soupe à l'oignon est également très bonne non passée et sans pomme de terre.

Soupe charentaise aux huîtres

Marennes-Oléron • Facile

liée au beurre avec des croûtons

Pour 4 à 8 personnes:
2 douzaines de spéciales de Marennes-Oléron (ou huîtres creuses assez grosses)
4 oignons moyens (400 g environ) ou 8 échalotes
100 g de beurre à température ambiante
1 c. à s. de farine
1,5 l de lait
sel
poivre mélangé du moulin

Pour la finition:
1 c. à s. de beurre ou de crème fraîche
4 tranches de pain blanc + 25 g de beurre

Temps de préparation: 55 mn

Par portion (pour 8 personnes): 1 200 kJ/290 kcal

1 Ouvrez les huîtres: tenez l'huître à ouvrir dans un torchon ou un gant résistant pour vous protéger la main. Séparez les deux valves en introduisant la lame du couteau à la jointure et en coupant le muscle qui les retient.

2 Filtrez l'eau des huîtres dans une passoire fine et versez-la dans une petite casserole. Jetez le dessus des coquilles. Lorsque les huîtres ont rendu leur deuxième eau, au bout de 3 minutes environ, filtrez-la et ajoutez-la dans la casserole. Décoquillez les huîtres et mettez-les dans une assiette.

3 Pelez les oignons (ou les échalotes), hachez-les menu. Mélangez avec une fourchette les oignons, 100 g de beurre et la farine. Faites fondre ce mélange dans une grande casserole sur feu doux, à couvert, de 4 à 6 minutes. Faites chauffer le lait, puis versez-le dans la casserole sans cesser de remuer. Laissez mijoter à découvert en remuant souvent de 15 à 20 minutes. Salez et poivrez.

4 Cinq minutes environ avant la fin de la cuisson, faites chauffer l'eau des huîtres dans la petite casserole, puis ajoutez les huîtres et laissez-les chauffer à couvert de 2 à 3 minutes. Secouez la casserole d'avant en arrière plusieurs fois, égouttez les huîtres, ajoutez-les aussitôt dans la soupe au lait. Incorporez le beurre ou la crème en fouettant légèrement. Tenez au chaud.

5 Taillez le pain en petits dés que vous ferez dorer à sec dans une poêle sur feu vif. Retirez la poêle du feu et ajoutez 25 g de beurre en y remuant les dés de pain.

6 Versez la soupe aux huîtres dans une soupière ou des assiettes creuses, parsemez de croûtons et servez aussitôt.

Les huîtres de Marennes-Oléron

L'élevage des huîtres demande beaucoup de temps.

Le climat ensoleillé des embouchures de la Charente et de la Seudre, abritées par l'île d'Oléron, ainsi que la rencontre favorable de l'eau de mer et de l'eau douce ont créé les meilleures conditions pour que prospère à Marennes-Oléron le plus grand bassin ostréicole de France. Parmi toutes les huîtres produites en France, seules les Marennes-Oléron peuvent arborer le sceau rouge qui est la garantie de leur qualité. Les huîtres sont appréciées depuis l'Antiquité pour leur saveur et leurs vertus diététiques. Elles demandent cinq années de travail intensif: élevage des naissains, croissance dans des caisses en bois, élevage dans les claires (bassins) où elles acquièrent leur teinte verte. Après nettoyage, elles sont calibrées, contrôlées, emballées dans des bourriches et étiquetées. Les huîtres non ouvertes se conservent 12 jours après leur sortie de l'eau. Il faut les ranger coquille creuse en bas et bien serrées les unes contre les autres, entre 5 et 15 °C, de préférence dans le bac à légumes du réfrigérateur. Pour les cuisiner, choisissez-les assez grosses ou moyennes. Ne servez pas des huîtres crues directement sur de la glace, mais sur un lit d'algues, avec des quartiers de citron (ou du vinaigre à l'échalote), du poivre du moulin, du pain de seigle, du beurre et un vin blanc (ou rosé) sec.

Cotriade

Bretagne • Se prépare à l'avance

Soupe roborative au poisson

Pour 4 personnes:
1 l de fumet de poisson maison (voir note p. 68) ou en bocal

Pour la garniture:
24 grosses moules de bouchot (ou autres coquillages)
2,5 à 3 kg de poissons mélangés prêts à cuire – par exemple 400 g de lotte, 400 g de congre avec la peau, 1 maquereau (250 g), 2 grondins avec ou sans la peau (400 g), 2 petits merlans (500 g), 8 sardines (250 g)
4 langoustines crues (250 g) –
8 petites pommes de terre à chair ferme (600 g)
sel
poivre mélangé du moulin

Temps de préparation: 1 h 20

Par portion: 4 300 kJ/1 000 kcal

1 Préparez le fumet dans une grande marmite *(voir note p. 68)*. Passez-le en pressant bien les ingrédients. Réservez.

2 Brossez les moules sous le robinet d'eau froide, retirez le byssus, mettez-les dans une bassine d'eau froide jusqu'au moment de les utiliser.

3 Lavez les poissons et les langoustines. Détaillez la lotte, le congre et le maquereau en tranches de 4 à 5 cm d'épaisseur.

4 Faites bouillir environ 2 litres de fumet. Lavez les pommes de terre, pelez-les et coupez-les en rondelles de 1 cm d'épaisseur. Faites-les cuire dans le fumet à couvert sur feu moyen pendant 10 minutes.

5 Ajoutez la lotte et le congre, laissez cuire sur feu doux à couvert pendant 10 minutes. Mettez les autres poissons, les langoustines et les moules,

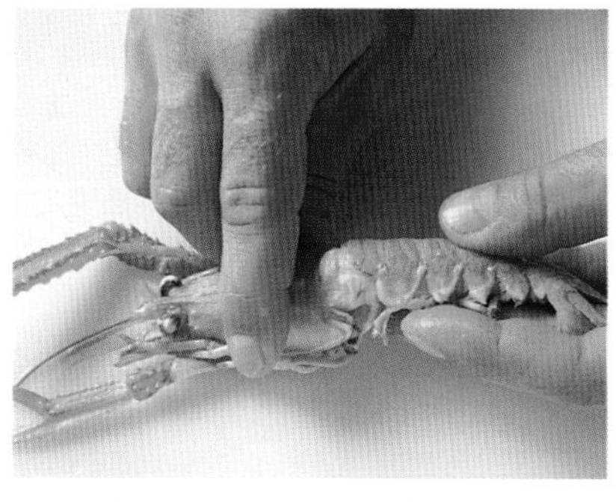

poursuivez la cuisson pendant 5 minutes (jetez les moules qui restent fermées après la cuisson).

6 Égouttez les langoustines, retirez les têtes avec les pinces, décortiquez-les et remettez-les dans la soupe. Salez et poivrez.

7 Égouttez les morceaux de poisson, les poissons entiers, les moules, les langoustines et les pommes de terre avec une écumoire et mettez-les dans un plat creux ou dans 4 assiettes. Tenez la soupe au chaud. Servez les poissons et fruits de mer avec des tartines beurrées, puis servez le bouillon.

Note: Cette spécialité bretonne, mi-soupe, mi-plat de poisson, est souvent désignée sous le nom de bouillabaisse de l'Atlantique. Mais dans le Midi, on sert le bouillon d'abord et les poissons ensuite, alors qu'en Bretagne, on propose le plat de poisson avant le bouillon.
La préparation de la cotriade varie d'un port à l'autre. Selon l'offre, il n'y a parfois qu'une seule variété de poisson. Les poissons gras, comme les sardines et les maquereaux, ne doivent pas être majoritaires. En Bretagne, on arrose parfois les poissons cuits d'une vinaigrette au persil.

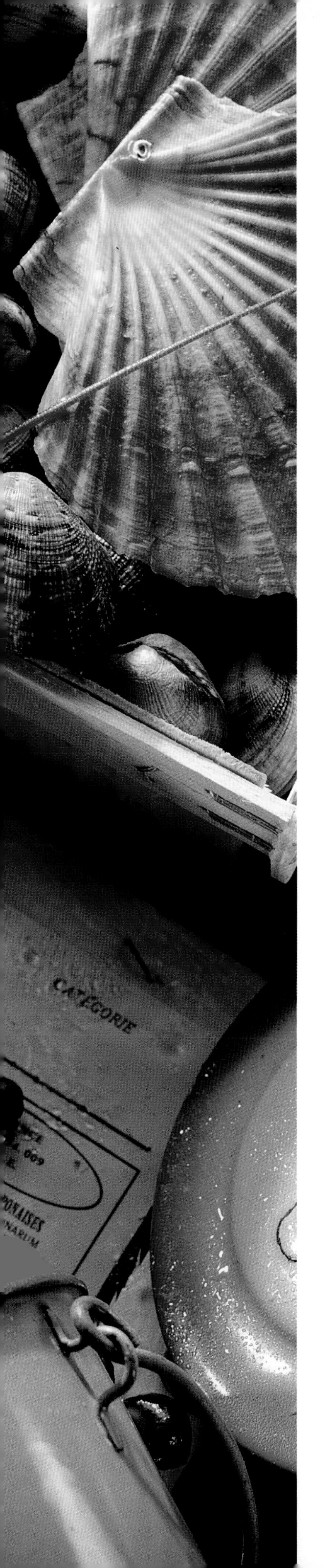

POISSONS ET CRUSTACÉS

Dans le Nord et dans l'Ouest, sur les marchés comme dans les assiettes des gourmets, les poissons et les crustacés fraîchement pêchés ne font pas défaut, non plus que les moules ni les huîtres. Le littoral est un vrai paradis pour les amateurs de fruits de mer, tandis que dans l'intérieur les poissons d'eau douce, tels les anguilles, les truites, les brochets, les carpes et les saumons, sont également abondants. Selon la région, on cuisine les poissons au vin blanc ou au vin rouge, à la bière ou au cidre, souvent avec une liaison à la crème fraîche. La Normandie et le Pas-de-Calais se partagent une spécialité qui sort de l'ordinaire: on y prépare en effet les maquereaux frais, poissons de ligne ou petites «lisettes», avec les fruits acides qui portent le même nom, les groseilles à maquereau. En Anjou et dans le pays nantais, le fameux beurre blanc est sujet à controverses. Doit-on le préparer uniquement avec du vinaigre de vin blanc ou bien peut-on ajouter du muscadet? Faut-il passer la réduction d'échalotes au tamis? Et puis d'abord, qui a inventé cette sauce? Les Nantais prétendent que le beurre blanc est né d'une méprise de Clémence Levèvre, cuisinière au service du marquis de Goulaine, au début de notre siècle. Un jour qu'elle faisait la cuisine pour un grand repas, elle demanda à une jeune servante de préparer à sa place une sauce béarnaise. Au moment où Mme Levèvre voulut la servir à table, elle constata que la sauce n'avait pas sa consistance habituelle, mais qu'elle était très bonne. On avait tout simplement oublié le jaune d'œuf! Mais on n'avait plus le temps d'en préparer une autre. Après le repas, on pria Mme Levèvre de venir dans la salle à manger. Elle s'attendait à être blâmée, mais au contraire, tout le monde la félicita pour cette nouvelle sauce, qui devint bien vite un classique de la cuisine du poisson. Quelle que soit la recette, le beurre blanc accompagne magnifiquement tous les poissons de rivière.

Marmite bretonne

aux homards, langoustines et crevettes

Bretagne • Se prépare à l'avance

Pour 4 personnes:
8 langoustines crues
12 crevettes roses crues
25 cl de fumet de crustacé maison (voir note p. 68) ou de fumet de homard en bocal
Pour la garniture:
1 carotte • 4 blancs de poireaux (200 g)
2 échalotes
2 gousses d'ail • 2 tomates très mûres
2 homards frais de 500 g chacun (blanchis de 2 à 3 minutes par le poissonnier)
5 ou 6 c. à s. d'huile végétale
3 cl de cognac
1 pointe de poivre de Cayenne
1 dose de safran
2 c. à s. de crème fraîche
sel • poivre mélangé

Temps de préparation: 1 h

Par portion: 2 400 kJ/570 kcal

1 Lavez les langoustines et les crevettes, prélevez les têtes pour le fumet. Préparez le fumet *(voir note p. 68)* et réservez-le.

2 Lavez la carotte et les poireaux. Pelez la carotte et les échalotes. Pelez les gousses d'ail, coupez-les en deux et retirez le germe. Émincez tous ces légumes. Lavez les tomates, pelez-les, coupez-les en quartiers, ôtez graines et pédoncule, concassez la pulpe. Coupez les homards en deux dans la longueur avec un couteau à lame large. Sectionnez les pinces près du corps.

3 Faites chauffer 2 c. à s. d'huile dans une marmite. Faites-y étuver les légumes émincés à couvert sur feu doux de 5 à 10 minutes. Pendant ce temps, faites chauffer le reste d'huile dans une grande poêle. Faites-y revenir les homards, les langoustines et les crevettes non décortiqués à découvert sur feu vif de 2 à 3 minutes de chaque côté. Retirez la poêle du feu, versez le cognac et flambez les crustacés en secouant la poêle jusqu'à ce qu'il n'y ait plus de flammes. Retirez les langoustines et les crevettes.

4 Versez 25 cl de fumet bouillant sur les homards, ajoutez les légumes étuvés, le poivre et le safran, faites mijoter à couvert sur feu doux pendant 5 minutes. Ajoutez les langoustines et les crevettes et poursuivez la cuisson pendant encore 5 minutes. Incorporez la crème fraîche, salez et poivrez. Cassez les pinces des homards et ajoutez-les dans la poêle. Servez dans un plat creux bien chaud avec du pain frais.

Le homard

À la différence des homards américains, bleu-gris ou brun foncé, les homards européens, notamment les bretons, qu'apprécient particulièrement les connaisseurs, sont bleu-noir. Comment choisir un bon homard? Il doit tout d'abord peser lourd pour sa taille, signe qu'il est plein. Le homard mâle possède des pinces plus grosses, donc plus charnues, tandis que le homard femelle est réputé plus tendre et plus fin. Achetez de préférence des homards vivants dont les réflexes sont encore vifs – yeux, antennes et pattes – et qui ne présentent pas de marques de combat ni de blessures; les homards vendus cuits sont souvent déjà morts avant la cuisson. Vous pouvez demander au poissonnier de faire cuire les homards vivants de 2 à 3 minutes à l'eau bouillante. Si vous les faites cuire vous-même, plongez-les dans de l'eau froide pendant 15 minutes avant la cuisson, puis mettez-les tête la première dans une marmite d'eau bouillante. La surgélation ne convient pas bien aux homards, car la chair de la queue devient fibreuse.

Sous sa carapace, le homard offre une chair délicieuse.

Marmite dieppoise

Normandie • Assez difficile

aux crevettes, moules, poissons et saint-jacques

Pour 4 personnes:
75 cl de fumet de poisson maison (voir note) ou en bocal

Pour le fumet:
1 oignon
1 échalote (facultatif)
1 gousse d'ail
25 g de beurre
3 à 5 petits champignons (100 g)
1 blanc de poireau (100 g)
ou 3 petites carottes
ou les tiges de ½ bouquet de persil
têtes et arêtes de poissons (750 g)
25 cl de cidre brut
ou de vin blanc sec (muscadet)
sel
poivre blanc du moulin
1 bouquet garni

Pour la garniture:
18 à 24 crevettes roses crues (400 g)
400 g de moules extra-fraîches
25 cl de cidre brut ou de vin blanc sec
4 tranches de lotte (400 g)
4 filets de barbue de 100 g chacun
4 filets de sole de 100 g chacun
3 ou 4 c. à s. de crème fraîche épaisse
4 coquilles Saint-Jacques extra-fraîches (ouvertes par le poissonnier) ou 4 noix de Saint-Jacques avec le corail (150 g environ)
15 g de beurre
sel
poivre blanc du moulin
½ bouquet de persil plat

Temps de préparation: 1 h 45 (+ 30 mn de repos)

Par portion: 2 500 kJ/600 kcal

1 Préparez le fumet (voir note) et réservez-le. Lavez les crevettes. Brossez les moules sous le robinet d'eau froide, jetez celles qui restent ouvertes. Faites chauffer le cidre dans une grande marmite, ajoutez les crevettes et faites-les cuire à couvert sur feu doux de 2 à 3 minutes. Égouttez-les sur du papier absorbant.

2 Versez les moules dans la marmite et faites-les cuire à couvert sur feu vif de 2 à 4 minutes, jusqu'à ce qu'elles soient ouvertes. Poursuivez la cuisson de 2 à 4 minutes pour celles qui sont encore fermées. Jetez celles qui ne s'ouvrent pas. Gardez quelques moules en coquilles pour le service. Décoquillez les autres. Décortiquez les crevettes en laissant la tête et le bout de la queue. Couvrez moules et crevettes ainsi préparées. Réservez. Filtrez la cuisson.

3 Lavez les poissons et épongez-les. Faites bouillir le fumet avec le jus de cuisson des moules, ajoutez la lotte et faites cuire à couvert sur feu doux de 8 à 10 minutes. Ajoutez les filets de barbue et de sole et poursuivez la cuisson de 4 à 5 minutes. Égouttez les poissons et tenez-les au chaud. Ajoutez la crème fraîche et faites réduire la sauce à 25 cl. Tenez la marmite au chaud sur une plaque chauffante, remettez les poissons – attention, les filets de sole sont fragiles –, les moules et les crevettes dans la sauce.

4 Lavez les noix des coquilles Saint-Jacques avec le corail, épongez-les bien. Faites chauffer le beurre dans une petite poêle, ajoutez les noix et faites-les dorer sur feu moyen pendant 1 minute de chaque côté. Salez et poivrez. Retirez la poêle du feu et laissez reposer de 1 à 2 minutes. Lavez le persil, effeuillez-le et ciselez finement les feuilles.

5 Mettez les poissons, les moules et les crevettes dans un grand plat creux bien chaud, ajoutez les noix des coquilles Saint-Jacques et arrosez le tout d'un peu de sauce. Saupoudrez de persil. Servez le reste de sauce à part, avec des pommes de terre à l'eau comme garniture.

Note: Le fumet de poisson ou de crustacé est très facile à préparer. Selon la recette, pour 25 à 75 cl de fumet, pelez 1 oignon et/ou 1 échalote et 1 gousse d'ail dont vous avez ôté le germe. Taillez-les en petits dés et faites-les fondre dans une grande marmite avec le beurre. Ajoutez les champignons nettoyés, les carottes ou les poireaux lavés et émincés – ou simplement des tiges de persil – et les têtes et arêtes de poissons ou des têtes de crustacés. Faites cuire de 2 à 3 minutes en remuant souvent. Mouillez de cidre ou de vin blanc et faites bouillir, puis ajoutez le même volume d'eau, salez et poivrez, mettez éventuellement 1 bouquet garni et laissez bouillonner à découvert sur feu moyen pendant 30 minutes. Laissez refroidir, puis passez le liquide en appuyant bien sur les ingrédients solides. Faites réduire pour obtenir la quantité voulue. Vous pouvez aussi faire cuire à l'eau avec la lotte 1 ou 2 barbues (600 g), peau et arêtes comprises, pendant 10 minutes. Dépouiller les poissons et lever les filets.

Filets de sole normande

Dieppe • Facile

aux champignons et à la crème

Pour 4 personnes:
2 échalotes moyennes (50 g)
150 g de petits champignons
1 c. à s. de beurre
1 c. à s. rase de farine
beurre pour le plat
8 filets de sole de 100 g chacun
sel
poivre mélangé du moulin
25 cl de vin blanc sec
500 g de crème fraîche
12 crevettes roses crues
(200 g environ)
12 moules de bouchot
2 jaunes d'œufs
le jus de 1/4 de citron

Temps de préparation: 1 h

Par portion: 3 100 kJ/740 kcal

1 Pelez les échalotes, taillez-les en petits dés. Nettoyez les champignons, émincez-les. Mélangez le beurre et la farine dans un bol, réservez.

2 Préchauffez le four à 200 °C (th. 6). Beurrez un plat à gratin. Lavez les filets de sole,épongez-les et assaisonnez-les. Rabattez chaque extrémité des filets vers le centre et rangez-les dans le plat. Parsemez d'échalotes et de champignons. Faites chauffer la moitié du vin blanc avec 370 g de crème fraîche et versez le mélange sur les filets. Couvrez de papier d'aluminium et faites cuire dans le four de 10 à 15 minutes, en retournant les filets une fois.

3 Pendant ce temps, lavez les crevettes et brossez les moules sous l'eau froide. Jetez celles qui restent ouvertes. Faites les cuire dans une casserole à couvert avec le reste de vin blanc de 3 à 5 minutes. Poursuivez la cuisson de 2 à 4 minutes pour celles qui restent fermées. Jetez celles qui ne s'ouvrent pas. Égouttez-les et décoquillez-les. Faites pocher les crevettes de 2 à 4 minutes dans le jus de cuisson des moules.

4 Passez le jus de cuisson des moules dans une casserole. Égouttez les filets de sole, versez le jus de cuisson dans la casserole, ajoutez les moules et les crevettes. Tenez les filets au chaud à couvert. Faites réduire le jus de cuisson, liez-le avec le beurre manié. Disposez les filets de sole avec les moules et les crevettes dans un plat chaud. Mélangez les jaunes d'œufs avec le reste de crème et versez-les dans la sauce en fouettant. Ajoutez le jus de citron et nappez le poisson de sauce.

Saumon à l'oseille

Val de Loire • Facile

saumon au four avec une sauce crémeuse

Pour 4 personnes:
beurre pour le plat
4 échalotes grises (75 g environ)
200 g de rosés des prés ou
de champignons de couche
150 g environ d'oseille
4 portions de saumon frais de 200 g
chacune, sans peau ni arêtes
sel • poivre blanc
50 cl environ de vin blanc sec
2 ou 3 c. à s. de crème fraîche
2 jaunes d'œufs • 100 g de beurre

Temps de préparation: 40 mn
Par portion: 3 400 kJ/810 kcal

1 Préchauffez le four à 200 °C (th. 6). Beurrez un plat à gratin. Pelez les échalotes. Nettoyez les champignons, coupez les queues. Hachez grossièrement échalotes et champignons, étalez le mélange dans le fond du plat. Lavez l'oseille, épongez-la et ciselez les feuilles.

2 Lavez les portions de saumon, épongez-les, salez-les et poivrez-les. Rangez-les dans le plat. Portez le vin blanc à ébullition et versez-le sur le poisson. Faites cuire dans le four à mi-hauteur à découvert de 5 à 10 minutes. Tenez le poisson au chaud.

3 Passez le jus de cuisson dans une casserole. Ajoutez la crème fraîche et faites réduire ou 25 cl. Mélangez les jaunes d'œufs avec 2 ou 3 c. à s. de sauce et versez-les dans la casserole pour lier la sauce. Incorporez sur feu doux 75 g de beurre en parcelles petit à petit, jusqu'à ce que la sauce devienne onctueuse. Faites chauffer le reste de beurre dans une poêle. Faites-y fondre l'oseille en remuant pendant 30 secondes. Ajoutez-la aussitôt dans la sauce. Placez les portions de saumon sur un plat ou des assiettes chaudes, nappez de sauce.

Lisettes

Pas-de-Calais • Facile

Maquereaux aux groseilles à maquereau

Pour 4 personnes:
500 g de groseilles à maquereau bien mûres
beurre pour le plat
8 petits maquereaux frais (lisettes) de 175 à 250 g chacun, d'environ 30 cm de long, prêts à cuire (avec la tête et la queue)
sel
poivre mélangé du moulin
10 cl de vin blanc sec
curry en poudre (facultatif)

Pour la garniture:
1 petit citron vert
ciboulette

Temps de préparation: 45 mn

Par portion: 2 600 kJ/620 kcal

1 Lavez les groseilles à maquereau et égouttez-les. Réservez quelques baies pour la garniture. Réduisez les autres en jus en les passant au tamis. Préchauffez le four à 200 °C (th. 6). Beurrez un plat à gratin. Lavez les poissons et épongez-les. Salez-les et poivrez-les à l'intérieur et à l'extérieur.

2 Rangez les poissons dans le plat. Arrosez-les de jus de groseille à maquereau et de vin blanc. Ajoutez éventuellement une pincée de curry. Couvrez de papier d'aluminium et faites cuire dans le four à mi-hauteur de 15 à 20 minutes.

3 Lavez le citron vert et la ciboulette, épongez-les, taillez le citron en fines rondelles et ciselez la ciboulette. Coupez en deux les groseilles à maquereau réservées.

4 Égouttez les poissons – attention, ils sont fragiles – et posez-les dans des assiettes chaudes. Garnissez de groseilles à maquereau, de rondelles de citron et de ciboulette. Servez chaud avec des pommes de terre à l'eau.

Vin: Avec les lisettes aux groseilles à maquereau, servez un vin blanc sec, comme le muscadet.

Note: Ce plat d'été, que l'on cuisine aussi en Normandie, à Blainville, est originaire de Boulogne-sur-Mer, dans le Pas-de-Calais. Les maquereaux à la boulonnaise se cuisinent également à la bière, avec des moules et des champignons.
Si vous ne trouvez pas de groseilles à maquereau, faites cuire les poissons simplement au vin blanc avec des champignons émincés.

Carrelets au cidre

Normandie • Facile

en sauce aux fines herbes et à la crème

Pour 4 personnes:
beurre pour la lèchefrite
4 échalotes (200 g)
persil plat, estragon, cerfeuil et ciboulette (1/2 bouquet de chaque)
4 carrelets de 250 à 300 g chacun, avec la peau et les arêtes, prêts à cuire
sel
poivre mélangé du moulin
50 cl de cidre brut
1 c. à s. de chapelure blanche
3 ou 4 c. à s. de crème fraîche à température ambiante

Temps de préparation: 45 mn

Par portion: 1 200 kJ/290 kcal

1 Préchauffez le four à 200 °C (th. 6). Beurrez la lèchefrite. Pelez les échalotes et taillez-les en dés. Étalez ce hachis dans la lèchefrite. Lavez les fines herbes, épongez-les et ciselez les feuilles. Lavez les carrelets, épongez-les, salez-les et poivrez-les généreusement à l'intérieur et à l'extérieur. Posez-les dans la lèchefrite, face foncée dessous. Parsemez le tiers des fines herbes dessus.

2 Faites chauffer le cidre et versez-le sur les poissons. Saupoudrez ceux-ci de chapelure et faites-les cuire dans le four à mi-hauteur de 12 à 15 minutes. Environ 5 minutes avant la fin de la cuisson, nappez les poissons de crème fraîche. Passez le jus de cuisson dans une casserole, en pressant sur les échalotes et les fines herbes. Tenez les poissons au chaud dans un plat dans le four éteint. Faites éventuellement réduire un peu la sauce, salez et poivrez.

3 Placez les carrelets sur des assiettes chaudes. Nappez-les de sauce, parsemez-les avec le reste de fines herbes. Servez aussitôt avec du pain frais (la peau du poisson et la chapelure gratinée ne se mangent pas).

Vin: Servez les carrelets au cidre avec du cidre, soit le même que celui de la cuisson, soit un cidre moins sec.

Note: Si vous ne trouvez pas de carrelets ou si vous n'aimez pas ce poisson, préparez cette recette avec des soles d'un poids identique (le temps de cuisson est le même).

Saint-jacques gratinées

Bretagne • Facile

aux échalotes et cerfeuil

Pour 4 personnes:
4 tranches de pain de mie écroûtées
25 cl environ de lait
20 à 24 coquilles Saint-Jacques fraîches (ouvertes par le poissonnier) ou 800 g de noix de saint-jacques avec le corail
1 oignon • 3 ou 4 échalotes (100 g)
15 g de beurre • 25 cl de vin blanc sec
sel • poivre blanc
500 g de gros sel de mer
4 grandes saint-jacques creuses
4 ou 5 c. à s. de chapelure
quelques pluches de cerfeuil

Temps de préparation: 1 h
Par portion: 1 400 kJ/330 kcal

1 Faites tremper le pain dans le lait. Séparez les noix du corail des saint-jacques et éliminez les barbes grises. Lavez les noix et le corail, épongez-les. Pelez et taillez en petits dés l'oignon et les échalotes. Faites chauffer le beurre dans une poêle, faites-y revenir oignon et échalotes pendant 5 minutes. Versez le vin blanc. Essorez le pain et ajoutez-le. Mélangez jusqu'à consistance onctueuse, salez et poivrez. Laissez mijoter à couvert pendant 15 minutes, puis ajoutez les noix de saint-jacques. Retirez la casserole du feu au bout de 5 minutes. Incorporez le corail.

2 Préchauffez le four à 250 °C (th. 9). Étalez le gros sel dans des assiettes allant au four, placez-y les coquilles et calez-les. Répartissez la préparation aux noix de saint-jacques dans les coquilles, saupoudrez de chapelure et de cerfeuil. Faites gratiner dans le haut du four de 5 à 10 minutes.

3 Sortez les assiettes du four. Servez aussitôt avec du pain frais.

Vin: Avec les saint-jacques gratinées, servez un vin blanc de la région de Nantes, le muscadet-de-sèvre-et-maine, qui accompagne aussi bien le poisson que les crustacés et les coquillages.

Saint-jacques au cidre

Normandie • Facile

cuites au four en coquilles

Pour 4 personnes:
1 pomme à cuire à chair acide (reinette, par exemple) de 300 g environ
50 g environ de beurre
38 cl de cidre brut
quelques brins de persil
12 coquilles Saint-Jacques extra-fraîches (ouvertes par le poissonnier) ou 400 g de noix de saint-jacques avec le corail
sel
poivre blanc du moulin
100 g de crème fraîche
200 g de farine
8 grandes coquilles Saint-Jacques creuses
500 g de gros sel

1 Coupez la pomme en deux, retirez le cœur et les pépins, pelez-la, taillez-la en dés de 0,5 cm de côté. Mettez 20 g de beurre à chauffer dans une poêle. Faites-y dorer les dés de pomme sur feu vif de 2 à 3 minutes en remuant. Ajoutez 10 cl de cidre et laissez mijoter doucement pendant 3 minutes.

2 Lavez le persil, épongez-le et ciselez les feuilles. Séparez le corail des noix de saint-jacques et éliminez les barbes grises. Lavez les noix et le corail, épongez-les. Faites chauffer le reste de beurre dans une autre poêle, ajoutez les noix et faites-les dorer sur feu moyen de 1 à 2 minutes de chaque côté, salez et poivrez. Ajoutez les noix de saint-jacques aux dés de pomme. Faites réduire le reste de cidre dans la poêle, salez et poivrez. Ajoutez la crème fraîche, le corail et les noix, les dés de pomme et le persil. Mélangez.

3 Préchauffez le four à 250 °C (th. 9). Pétrissez la farine avec 10 cl d'eau pour obtenir une pâte. Roulez-la en boudin. Répartissez la préparation aux saint-jacques dans 4 coquilles. Garnissez le bord de chaque coquille avec un quart du boudin de pâte. Posez les autres coquilles dessus pour former un couvercle et soudez-les hermétiquement. Enfournez-les à mi-hauteur du four et faites cuire pendant 10 minutes.

4 Répartissez le gros sel dans 4 assiettes. Posez une coquille sur chacune d'elles. Cassez le lut pour ouvrir les coquilles.

Mouclade

Charente • Facile

Moules en sauce gratinées

Pour 4 personnes:
2 ou 3 échalotes (75 g environ)
½ bouquet de persil
2 kg de moules de bouchot
15 g de beurre
25 cl de vin blanc sec (muscadet)
200 g de crème fraîche épaisse
1 dose de safran
curry en poudre (facultatif)
1 jaune d'œuf extra-frais

Temps de préparation: 1 h

Par portion: 1 900 kJ/450 kcal

1 Pelez les échalotes, ciselez-les. Lavez et épongez le persil, puis ciselez-le finement. Brossez les moules sous l'eau du robinet. Jetez les coquilles ouvertes. Faites chauffer le beurre dans un grand faitout. Ajoutez les échalotes et laissez-les fondre à couvert sur feu doux pendant 5 minutes. Versez le vin et faites-le réduire à 10 cl sur feu vif. Ajoutez les moules, couvrez et laissez cuire sur feu vif de 2 à 3 minutes. Poursuivez la cuisson de 2 à 4 minutes pour celles qui sont encore fermées. Jetez celles qui ne s'ouvrent pas.

2 Préchauffez le four à 250 °C (th. 9). Versez les moules dans une passoire et recueillez le jus. Réservez des coquilles vides pour la dégustation. Retirez une valve de chaque moule, répartissez les moules en coquille dans 4 assiettes allant au four, bien à plat en cercles concentriques. Filtrez le jus de cuisson, incorporez la crème fraîche et le safran, faites réduire légèrement. Ajoutez éventuellement une pointe de curry, puis le jaune d'œuf, hors du feu. Versez délicatement cette sauce sur les moules. Passez sous le gril ou dans le haut du four de 1 à 2 minutes pour faire dorer.

3 Posez les assiettes brûlantes sur des dessous-de-plat et parsemez les moules avec le persil ciselé. Servez aussitôt avec du pain frais.

Moules à la malouine

au persil et à la crème

Bretagne • Facile

Pour 4 personnes:
1 oignon moyen (100 g environ)
1/2 bouquet de persil plat
2 kg de moules de bouchot
15 g de beurre
1 bouquet garni (3 brins de persil, 1 feuille de laurier et 1 brin de thym ficelés avec du fil de cuisine)
25 cl de vin blanc sec (muscadet)
100 g de crème fraîche
poivre blanc du moulin

Temps de préparation: 50 mn

Par portion: 1 300 kJ/310 kcal

1 Pelez l'oignon, hachez-le menu. Lavez le persil, épongez-le, effeuillez-le et ciselez les feuilles. Réservez les tiges. Brossez les moules sous le robinet d'eau froide, jetez celles qui sont ouvertes. Faites chauffer le beurre dans une marmite, ajoutez l'oignon et faites-le fondre à couvert sur feu doux pendant 5 minutes. Ajoutez les tiges de persil et le bouquet garni, puis versez le vin blanc et faites bouillir sur feu vif jusqu'à ce qu'il ait réduit de moitié.

2 Ajoutez les moules, couvrez et faites cuire de 3 à 4 minutes sur feu vif, jusqu'à ce que les moules s'ouvrent. Prélevez-les avec une écumoire et mettez-les dans un plat creux bien chaud. Poursuivez la cuisson de 2 à 4 minutes pour celles qui sont encore fermées. Jetez celles qui ne s'ouvrent pas.

3 Passez le jus de cuisson, ajoutez la crème fraîche. Faites bouillir, poivrez et versez cette sauce sur les moules. Parsemez de persil. Servez aussitôt avec du pain de seigle et du beurre salé.

Vin: Avec les moules à la malouine, servez un vin blanc sec – comme en Bretagne –, muscadet ou gros plant, qui se marie bien avec les poissons, les moules et les crustacés.

Note: En Bretagne, chaque port ou presque possède sa propre recette de moules. On peut les servir à la marinière, sans crème, ou les faire gratiner; on peut également accommoder les moules en salade, avec une vinaigrette, de la crème fraîche et des cornichons (ou des câpres) ou encore avec une sauce ravigote *(voir p. 35)*.

Bouilleture d'anguille

Poitou • Facile

Matelote d'anguille aux pruneaux

Pour 4 personnes:
200 à 250 g de pruneaux pas trop secs
10 cl d'eau-de-vie de pruneau
10 petites échalotes (150 g)
2 petites anguilles de 55 cm de long environ, non dépouillées (350 g chacune), prêtes à cuisiner, coupées en tronçons de 6 cm de long
60 g de beurre
sel
poivre mélangé du moulin
1 ou 2 pincées de sucre
50 cl de vin rouge (fiefs-vendéens, par exemple)
2 feuilles de laurier
1 c. à s. rase de farine

Temps de préparation: 1 h (+ 2 h de trempage)

Par portion: 4 000 kJ/950 kcal

1 Lavez les pruneaux, mettez-les dans une jatte avec 5 cl d'eau-de-vie et 10 cl d'eau chaude de 1 à 2 heures.

2 Pelez les échalotes, hachez-les menu. Lavez les tronçons d'anguille, épongez-les.

3 Faites chauffer 20 g de beurre dans une poêle. Ajoutez les échalotes, laissez-les fondre sur feu doux de 4 à 5 minutes, puis retirez-les. Remettez 25 g de beurre dans la poêle, ajoutez les anguilles lorsqu'il est chaud, faites-les rissoler de 2 à 3 minutes sur feu moyen en les retournant. Retirez la poêle du feu.

4 Arrosez le poisson avec le reste d'eau-de-vie de pruneau, flambez. Lorsqu'il n'y a plus de flammes, salez et poivrez, saupoudrez de sucre, puis retirez les anguilles de la poêle.

5 Déglacez la poêle avec le vin rouge. Remettez-y les anguilles,les échalotes, les pruneaux avec leur liquide

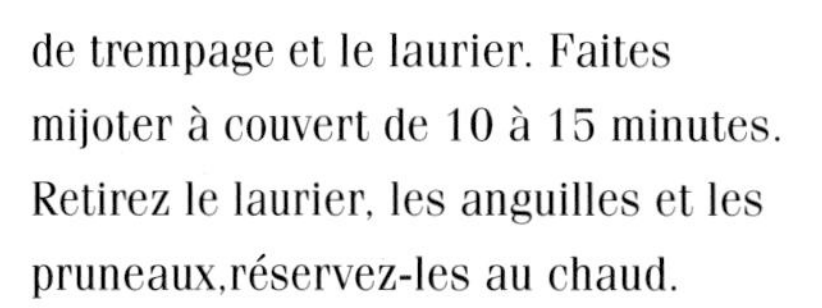

de trempage et le laurier. Faites mijoter à couvert de 10 à 15 minutes. Retirez le laurier, les anguilles et les pruneaux,réservez-les au chaud.

6 Malaxez à part la farine avec le reste de beurre, incorporez ce beurre manié dans la cuisson. Faites réduire la sauce à 25 cl, salez et poivrez. Remettez les anguilles – attention, elles sont fragiles – et les pruneaux dans la poêle. Réchauffez à feu très doux pendant 5 minutes.

7 Servez dans un plat chaud avec des pommes de terre en robe de chambre comme garniture.

Vin: Avec la bouilleture (que l'on appelle aussi bouillliture), servez un vin rouge parfumé, comme le cru des fiefs-vendéens qui a servi à la cuisson.

Note: Les pruneaux qui séchaient jadis dans le four du boulanger après la fournée de pain étaient très secs. Ceux d'aujourd'hui sont plus tendres, avec une peau légèrement brillante, car on leur restitue après le séchage en machine une partie de leur humidité. Pour qu'il retrouvent leur moelleux, il suffit de les faire tremper dans de l'eau froide pendant quelques heures ou de 1 à 2 heures dans un liquide bouillant, du vin par exemple.

Brochet au beurre blanc

Pays de la Loire • Facile

Un plat classique

Pour 4 personnes:
Pour le court-bouillon:
1 gros oignon (150 g environ)
1 grosse carotte
1 l de vin blanc sec (anjou, par exemple)
1 bouquet garni (3 brins de persil, 1 feuille de laurier et 1 brin de thym, liés en bottillon avec du fil de cuisine)
sel
10 grains de poivre

1 brochet de 1,3 kg vidé, mais ni écaillé ni lavé, ou 1 sandre

Pour le beurre blanc:
3 échalotes, grises si possible (30 g environ)
12 cl de vinaigre de vin blanc vieux
200 g de beurre demi-sel très froid, en parcelles (ou 250 g de beurre frais + du sel)
poivre blanc du moulin

Temps de préparation: 1 h

Par portion: 2 600 kJ/620 kcal

1 Préparez le court-bouillon: pelez l'oignon, lavez la carotte, puis coupez-les en rondelles. Faites-les bouillir avec 1 litre d'eau, le vin, le bouquet garni, du sel et le poivre en grains à couvert de 20 à 30 minutes. Passez le bouillon.

2 Placez le poisson dans une poissonnière munie d'une grille. Versez le court-bouillon chaud dessus. Portez à ébullition, puis faites pocher sur feu doux à couvert de 15 à 20 minutes.

3 Préparez le beurre blanc: pelez les échalotes, ciselez-les et mettez-les dans une petite casserole. Ajoutez le vinaigre et 3 c. à s. de court-bouillon. Faites réduire à 5 c. à s à découvert sur feu moyen. Posez la casserole dans un bain-marie. Incorporez le beurre froid en parcelles en fouettant jusqu'à consistance crémeuse. Poivrez. Tenez au chaud.

4 Retirez le poisson de la poissonnière à l'aide de la grille. Laissez-le s'égoutter. Retirez la peau avec une cuillère.

5 Faites glisser le poisson sur un plat de service chauffé (avec la tête, la queue et l'arête centrale).

6 Servez aussitôt avec des pommes de terre à l'eau ou des carottes passées au beurre. Versez la sauce dans une saucière chaude et servez-la à part.

Vin: Avec le brochet au beurre blanc, comme tous les poissons accommodés de cette façon, servez un vin blanc sec, comme l'anjou de la vallée de la Loire.

Variante: Saumon au beurre blanc et à l'oseille
Faites cuire un saumon de 1,3 kg (ou 4 portions de saumon de 350 g chacune ou 4 truites de 350 g chacune, en réduisant alors le temps de cuisson à 5 à 8 minutes) dans un court-bouillon, comme dans la recette ci-dessus, et tenez-le au chaud. Lavez 600 g d'oseille; faites chauffer 50 g de beurre, ajoutez l'oseille et laissez-la fondre sur feu doux en remuant délicatement avec une cuillère pendant 1 à 2 minutes. Servez le saumon avec le beurre blanc à part et une garniture de pommes de terre à l'eau ainsi que la fondue d'oseille.

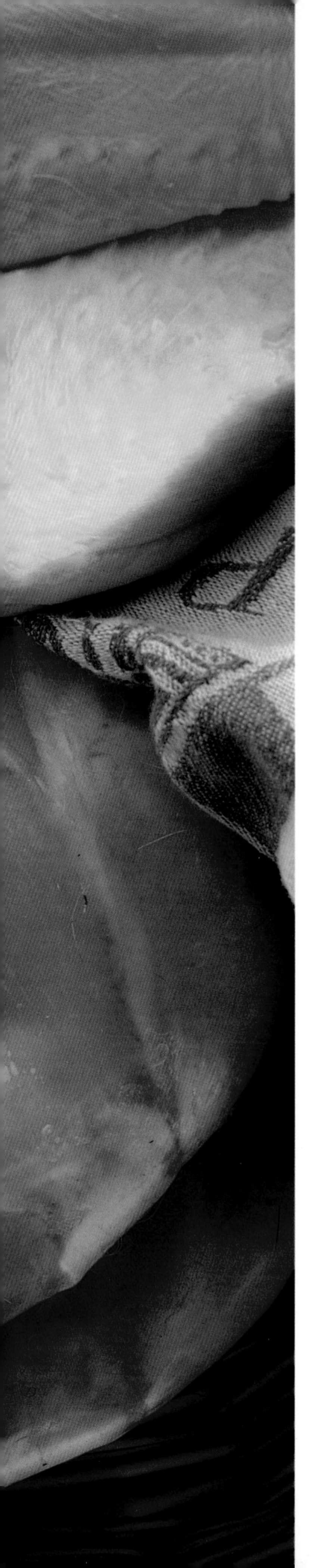

VOLAILLES ET VIANDES

Dans les régions de l'Ouest, du Centre et du Nord, les viandes et les volailles se cuisinent au vin, au cidre ou à la bière. Selon le terroir ou la recette, on les flambe avec du cognac, du calvados ou du genièvre. En Normandie, la crème fraîche est un ingrédient indispensable, de même que la garniture classique de tranches de pommes sautées au beurre.

On pourrait penser que dans une région si proche de la mer et que les rivières sillonnent les plats de poissons seraient prédominants. Mais l'époque est révolue depuis longtemps où l'on donnait aux premiers habitants des côtes bretonnes le surnom de «mangeurs de coquillages» parce qu'ils se nourrissaient surtout de fruits de mer. Aujourd'hui, dans les prairies longeant la mer, sur la côte atlantique et en Normandie, paissent des moutons et des agneaux à la chair particulièrement succulente. La viande parfumée de ces animaux prés-salés est pour ainsi dire naturellement relevée de sel à cause de leur alimentation. On la fait souvent cuire avec de petits navets blancs, qui apportent au plat une touche piquante.

La cuisine du Nord-Pas-de-Calais privilégie quant à elle d'intéressants mariages déclinés sur l'aigre-doux. La carbonade flamande *(p. 97)*, à base de bœuf, réunit, par exemple, les quatre saveurs de base en une parfaite association: l'acide avec le vinaigre et la moutarde, l'amer avec la bière, le salé avec la viande et les légumes, le sucré avec le pain d'épice.

La carbonade est également typique du mode de cuisson que l'on apprécie particulièrement dans les cuisines du Nord, de l'Ouest et du Centre: le mijotage lent et régulier à chaleur douce, caractéristique des recettes familiales. On retrouve la même technique avec les plats de canard ou d'oie cuisinés pour les jours de fête. Le nom de la spécialité de mouton du Berry, gigot de sept heures, suffit à indiquer la durée de la cuisson à laquelle il est soumis. On le déguste littéralement à la petite cuillère.

Les recettes de lapin sont également très appréciées. Chaque région a sa préparation typique. Mais qu'il soit garni de pruneaux ou de champignons, mijoté au vin, au cidre ou à la crème, le lapin est toujours un plat en sauce particulièrement succulent.

Poulet vallée d'Auge

aux champignons et à la crème

Normandie • Facile

Pour 4 personnes:
4 cuisses de poulet (300 g chacune)
60 g de beurre environ
1 c. à s. d'huile végétale
3 ou 4 cl de calvados
sel • poivre blanc du moulin
33 cl de cidre brut
2 échalotes moyennes (50 g)
400 à 500 g de champignons de couche
200 g de crème fraîche épaisse
1 branche d'estragon (facultatif)
4 pommes acides à chair ferme (reinettes)

Temps de préparation: 1 h 15

Par portion: 3 200 kJ/760 kcal

1 Lavez et épongez les cuisses de poulet. Mettez 20 g de beurre à chauffer dans une grande poêle avec l'huile. Faites-y dorer les cuisses de poulet sur feu moyen de 8 à 10 minutes sur les deux faces, en les retournant souvent. Jetez l'excès de graisse fondue. Arrosez-les de calvados avec une petite louche, flambez; salez et poivrez lorsqu'il n'y a plus de flammes. Mettez les cuisses de poulet dans une cocotte. Déglacez la poêle avec le cidre et versez le jus sur la volaille. Couvrez et faites mijoter sur feu doux pendant 25 minutes.

2 Pendant ce temps, pelez les échalotes, hachez-les menu. Nettoyez les champignons, coupez le pied terreux, puis émincez-les finement. Faites chauffer 20 g de beurre dans la poêle. Faites-y revenir d'abord les champignons, puis les échalotes sur feu moyen de 3 à 5 minutes. Salez et poivrez, retirez la poêle du feu.

3 Versez le jus de cuisson du poulet dans une casserole, faites-le réduire sur feu vif de 5 à 10 minutes à 12 cl environ, puis ajoutez la crème fraîche et faites réduire à 33 cl. Mettez les champignons, les échalotes et les cuisses de poulet dans la sauce. Couvrez et poursuivez la cuisson doucement de 10 à 15 minutes sur feu doux en arrosant plusieurs fois les morceaux avec la sauce.

4 Lavez l'estragon, si vous en utilisez, épongez-le et effeuillez-le. Lavez les pommes, retirez le cœur avec un vide-pomme, pelez-les, puis taillez-les en rondelles de 1,5 cm d'épaisseur. Faites chauffer le reste de beurre dans 2 grandes poêles. Faites-y dorer les rondelles de pomme sur feu moyen de 4 à 6 minutes, en les retournant souvent. Retirez du feu.

5 Posez les cuisses de poulet dans un plat creux chaud, garnissez de pommes et nappez de sauce aux champignons. Parsemez d'estragon ciselé et servez avec du pain frais.

Variantes: Pintadeau aux pommes et au calvados

Faites dorer le pintadeau de 1,5 kg coupé en morceaux dans 2 c. à s. d'huile et de beurre, flambez-le, salez et poivrez, puis faites mijoter de 30 à 40 minutes en ajoutant 25 cl de cidre brut et 200 g de crème fraîche épaisse. Faites réduire la sauce. Préparez la garniture de pommes comme dans la recette de poulet et garnissez-en le pintadeau.

Canard vallée d'Auge

Salez et poivrez 2 petits canards de 1,1 kg chacun. Préchauffez le four à 150 °C (th. 2). Faites dorer les canards entiers dans 1 c. à s. d'huile et 20 g de beurre. Dégraissez, déglacez avec 75 cl de cidre brut, puis faire cuire dans le bas du four de 2 heures 30 à 3 heures. Lavez et évidez une pomme acide et ajoutez-la dans le plat à mi-cuisson. Sortez les canards du four, passez la cuisson. Flambez les canards avec 6 à 8 cl de calvados, puis remettez-les dans le four éteint pendant 15 minutes. Pour la sauce, faites caraméliser 4 c. à s. de sucre dans une poêle, déglacez avec 2 c. à s. de vinaigre de cidre, ajoutez 1 c. à s. de gelée de pomme, de calvados et le fond de cuisson réduit à 25 cl. Mélangez intimement. Découpez les canards sur un plat de service, garnissez de chou rouge aux pommes *(voir p. 113)* et servez la sauce à part.

Marmite sarthoise

Pays de la Loire • Facile

Volaille, champignons et crème

Pour 4 personnes:
4 blancs de volaille (600 g environ)
½ râble de lapin (300 g environ) désossé, os conservés pour le fond de cuisson
1 oignon (100 g) • 5 clous de girofle
50 cl de vin blanc sec (jasnières, par exemple)
1 bouquet garni • sel
150 g de champignons de couche
100 g de jambon cuit • 1 c. à s. de farine
4 c. à s. d'huile d'arachide
1 c. à s. d'huile de noix
poivre mélangé du moulin
150 g de crème fraîche épaisse

Temps de préparation: 1 h
Par portion: 2 800 kJ/670 kcal

1 Lavez les chairs et les os, épongez-les. Pelez l'oignon et piquez-y les clous de girofle. Faites cuire les os avec 25 cl d'eau et 25 cl de vin à couvert pendant 30 minutes sur feu moyen, en ajoutant le bouquet garni, l'oignon clouté et du sel. Passez le fond.

2 Pendant ce temps, nettoyez et émincez les champignons, taillez le jambon en lanières et les viandes en languettes de 5 mm de large. Farinez tous les morceaux. Mettez l'huile d'arachide à chauffer dans une grande poêle, faites-y revenir les languettes de viande de 2 à 3 minutes sur feu moyen en les retournant souvent. Videz la graisse fondue. Ajoutez les champignons, le jambon et l'huile de noix. Faites cuire de 1 à 2 minutes en remuant, salez et poivrez. Versez dans une cocotte les viandes, les champignons et le jambon, tenez au chaud.

3 Déglacez la poêle avec le reste de vin blanc sur feu vif et faites réduire presque à sec. Versez 25 cl de fond de cuisson et ajoutez la crème. Faites réduire à votre goût, assaisonnez. Versez cette sauce dans la cocotte, portez à la limite de l'ébullition et laissez mijoter pendant 5 minutes.

4 Cette marmite sarthoise se garnit volontiers de carottes, d'endives *(voir p. 109)*, ou d'œufs Toupinel *(voir p. 115)*.

Coq à la bière

Nord • Facile

aux petits oignons et lard

Pour 4 à 6 personnes:
2 oignons • 1 carotte
1 gros poulet (1,8 kg) prêt à cuire coupé en 12 morceaux, avec les abattis
1 bouquet garni
sel • poivre mélangé du moulin
200 g de petits oignons grelots (de 2 à 3 cm de diamètre)
4 tranches de lard de poitrine (100 g)
2 c. à s. d'huile • 50 g environ de beurre
5 cl de genièvre • 1 c. à s. de farine
33 cl de bière blonde

Temps de préparation: 1 h 45

Par portion (pour 6 personnes): 2 400 kJ/570 kcal

1 Pelez les oignons, lavez la carotte, émincez-les en rondelles. Lavez et épongez les morceaux de poulet et les abattis. Dans une cocotte, faites revenir à sec les abattis sur feu vif en remuant et en ajoutant oignons et carotte. Mouillez avec 50 cl d'eau, mettez le bouquet garni, du sel, du poivre, couvrez et laissez mijoter de 20 à 30 minutes sur feu moyen. Passez.

2 Pendant ce temps, pelez les petits oignons. Taillez le lard en languettes. Faites-les blanchir séparément de 2 à 3 minutes à l'eau bouillante, rafraîchissez-les à l'eau froide, égouttez et réservez.

3 Faites chauffer dans 2 grandes poêles 1 c. à s. d'huile avec le beurre. Faites-y dorer les morceaux de poulet sur feu moyen de 8 à 10 minutes en les retournant, jetez une partie de la graisse, arrosez de genièvre et flambez. Assaisonnez et poudrez de farine. Mettez les morceaux de poulet dans une cocotte, mouillez avec la bière et 25 cl de bouillon de volaille, couvrez et faites mijoter pendant 1 heure sur feu doux. Faites dorer les petits oignons et les lardons dans le reste de graisse de 1 à 2 minutes. Ajoutez-les au poulet 20 minutes avant la fin de la cuisson. Réservez le tout dans un plat creux bien chaud. Faites réduire le fond de cuisson sur feu vif de 5 à 10 minutes pour obtenir 25 cl de sauce. Servez aussitôt avec du pain de campagne et un gratin de poireaux *(voir p. 110)*.

Colvert à la Picarde

aux pommes et au cidre

Recette ancienne • Facile

Pour 4 personnes:
2 canards sauvages (750 g chacun) prêts à cuire, avec le foie, ou 1 canard de Rouen (900 g) prêt à cuire
3 foies de canard (125 g environ)
1 c. à s. d'huile d'arachide
75 g de beurre environ
sel • poivre mélangé
33 cl de cidre brut
2 pommes acides à chair ferme (200 g environ de reinettes, par exemple)
2 à 4 c. à s. de crème fraîche

Temps de préparation: 1 h 30

Par portion: 3 100 kJ/740 kcal

1 Préchauffez le four à 200 °C (th 6). Lavez les volailles et les foies, épongez-les. Mettez l'huile et 1 c. à s. de beurre à chauffer dans une grande poêle. Faites-y dorer les canards à découvert sur feu moyen de 5 à 8 minutes, en les retournant. Jetez la graisse fondue, salez et poivrez. Mettez les canards dans la lèchefrite du four, arrosez-les avec 10 cl de cidre et faites-les rôtir à mi-hauteur pendant 30 minutes. La chair doit être encore rose. (Si vous l'aimez plus cuite, poursuivez la cuisson pendant 20 minutes.) Laissez ensuite reposer les canards dans le four éteint de 10 à 15 minutes.

2 Pendant la cuisson des canards, lavez les pommes, coupez-les en quartiers, retirez le cœur et les pépins, pelez-les. Mettez 25 g de beurre à chauffer dans une autre poêle et faites-y dorer les pommes sur feu moyen de 5 à 7 minutes en les retournant souvent. Tenez-les au chaud.

3 Coupez les foies en morceaux en retirant les nerfs. Faites-les rissoler de 1 à 2 minutes dans le reste de beurre sur feu moyen. Tenez-les au chaud. Jetez la graisse fondue. Déglacez la poêle avec le reste de cidre, ajoutez le jus de cuisson des canards et faites réduire à 12 cl. Ajoutez la crème fraîche et laissez cuire encore pendant 3 minutes. Salez et poivrez. Ajoutez les pommes et les foies, tenez au chaud.

4 Coupez chaque canard en deux (le canard de Rouen en quatre). Dressez-les sur un plat chaud et garnissez de foies et de pommes. Servez à part la sauce et du chou rouge aux pommes *(voir p. 113)*.

Oie aux pommes

Volaille rôtie à la compote de pommes

Plat de Noël • Facile

Pour 6 à 8 personnes:
1 oie (3,5 kg) prête à cuire, avec les abattis
sel • poivre mélangé
1 oignon (100 g) • 1 carotte
1 branche de céleri
2 ou 3 gousses d'ail
50 cl de cidre brut

Pour la compote de pommes:
2 kg de pommes (reinettes, boskoop ou canada)
70 g environ de beurre
3 c. à s. de sucre
50 cl de cidre doux • le jus de 1 citron
3 ou 4 pincées de cannelle en poudre
poivre mélangé du moulin

Temps de préparation: 3 h 15

Par portion (pour 8 personnes):
6 200 kJ/1 500 kcal

1 Préchauffez le four à 200 °C (th 6). Lavez la volaille et les abattis. Salez et poivrez l'oie à l'intérieur et à l'extérieur. Piquez la peau avec une brochette. Posez l'oie, poitrine vers le haut, sur les abattis dans un plat à rôtir. Faites cuire dans le four à mi-hauteur pendant 30 minutes. Jetez la graisse de cuisson.

2 Pendant ce temps, pelez l'oignon, lavez la carotte et le céleri. Taillez les légumes en dés. Écrasez l'ail sans le peler. Ajoutez ces ingrédients dans le plat à rôtir, avec 25 cl environ de cidre. Poursuivez la cuisson de l'oie à 175 °C (th. 3-4) pendant 2 heures. (Vous pouvez également faire griller l'oie de 5 à 8 minutes.) Laissez-la reposer dans le four éteint, porte entrouverte, de 10 à 15 minutes. Versez le jus de cuisson dans une casserole, dégraissez-le. Faites réduire en ajoutant le reste de cidre jusqu'à consistance crémeuse.

3 Environ 1 heure avant la fin de la cuisson de l'oie, lavez les pommes, coupez-les en quartiers, retirez le cœur et les pépins. Réservez 8 belles tranches de pomme pour la garniture. Faites chauffer 50 g de beurre dans une casserole, ajoutez le reste des pommes et faites-les cuire sur feu vif, en remuant, de 2 à 3 minutes. Saupoudrez de sucre, versez le cidre doux, couvrez et faites mijoter sur feu moyen de 10 à 15 minutes. Travaillez au fouet en grosse compote. Ajoutez le jus de citron et la cannelle, poivrez à votre goût. Faites dorer les tranches de pomme réservées dans une poêle avec le reste de beurre.

4 Posez l'oie sur un plat de service chaud, garnissez de tranches de pomme. Servez à part la compote, la sauce et du chou rouge aux pommes *(voir p 113)*.

Râble de lapin au miel

Orléanais • Se prépare à l'avance

en sauce au vin blanc et à la crème

Pour 4 personnes:
4 grosses échalotes (100 g)
1 à 3 gousses d'ail • 100 g de carottes
2 petits râbles de lapin (400 g chacun) découpés par le volailler en 6 à 8 morceaux
2 c. à s. d'huile d'arachide
25 g de beurre • sel • poivre
1 bouquet garni (voir p. 103)
25 cl de vin blanc sec
2 ou 3 c. à s. de crème fraîche
2 c. à s. de miel
Temps de préparation: 1 h
Par portion: 200 kJ/480 kcal

1 Pelez les échalotes. Pelez les gousses d'ail, coupez-les en deux, retirez le germe. Lavez les carottes, pelez-les. Taillez tous ces ingrédients en petits dés. Lavez les morceaux de râble et épongez-les.

2 Mettez l'huile à chauffer dans une poêle avec 1 c. à s. de beurre. Faites-y dorer les râbles à découvert sur feu moyen de 5 à 7 minutes, en les retournant plusieurs fois. Salez et poivrez. Jetez la graisse fondue. Réservez les râbles. Faites revenir de 3 à 5 minutes le hachis échalotes-ail-carottes dans le reste de beurre en remuant. Ajoutez le bouquet garni, le vin et remettez les râbles. Couvrez et laissez mijoter sur feu doux pendant 20 minutes. Ajoutez la crème fraîche au bout de 15 minutes. Retirez le bouquet garni.

3 Mettez les râbles sur un plat chaud. Incorporez le miel dans la sauce et nappez-en les râbles. Servez avec des carottes braisées ou des pommes de terre soufflées *(voir p. 116)*.

Lapin au cidre

Normandie • Se prépare à l'avance

aux petits oignons et champignons

Pour 6 personnes:
200 g de petits oignons grelots
4 grosses échalotes (100 g)
200 g de champignons de cueillette frais ou de couche
150 g de lard de poitrine maigre sans couenne
1 petit lapin(1,3 kg) découpé par le volailler en 6 à 8 morceaux
2 c. à s. d'huile d'arachide
100 g de beurre très froid
sel • poivre mélangé du moulin
25 cl de cidre brut
1 bouquet garni
Temps de préparation: 1 h 50

Par portion: 2 600 kJ/620 kcal

1 Pelez les oignons et les échalotes. Hachez finement celles-ci. Nettoyez les champignons. Raccourcissez les queues, coupez en morceaux les plus gros. Taillez le lard en lardons. Faites blanchir les lardons et les oignons à l'eau bouillante de 1 à 2 minutes Égouttez-les. Lavez les morceaux de lapin et épongez-les.

2 Mettez l'huile et 1 c. à s. de beurre à chauffer dans une grande poêle. Faites-y dorer les morceaux de lapin de 5 à 7 minutes sur feu moyen en les retournant plusieurs fois. Salez et poivrez. Mettez-les dans une cocotte.

3 Faites revenir dans la matière grasse de la poêle les oignons, les échalotes et les lardons sur feu moyen de 3 à 5 minutes. Ajoutez-les au lapin. Jetez la graisse. Remettez 1 c. à s. de beurre dans la poêle et faites revenir les champignons sur feu vif pendant 5 minutes. Salez et poivrez. Ajoutez-les au lapin. Déglacez la poêle avec le cidre, versez la sauce dans la cocotte, mettez le bouquet garni, couvrez et faites mijoter sur feu doux pendant 15 minutes. Retirez le râble et réservez-le au chaud. Poursuivez la cuisson pendant 45 minutes. Remettez le râble dans la cocotte pendant les 5 à 10 dernières minutes de cuisson.

4 Passez le fond de cuisson. Mettez les morceaux de lapin et les légumes dans une terrine. Faites réduire la sauce à 25 cl, puis incorporez le reste de beurre très froid en parcelles en fouettant jusqu'à consistance crémeuse. Rectifiez l'assaisonnement et nappez le lapin de sauce. Servez avec des pommes de terre en robe de chambre et/ou un gratin de poireaux *(voir p. 110)*.

Côtes de veau vallée d'Auge

Normandie • Facile

en sauce à la crème et au calvados

Pour 4 personnes:
200 g de petits oignons grelots
250 g de petits rosés des prés ou de champignons de couche
4 à 6 brins de persil plat
40 g environ de beurre
sel • poivre mélangé du moulin
4 côtes de veau (200 g chacune)
1 c. à s. d'huile d'arachide
350 g de crème fraîche épaisse
2 ou 3 cl de calvados

Temps de préparation: 45 mn

Par portion: 3 000 kJ/710 kcal

1 Pelez les oignons, faites-les blanchir de 5 à 8 minutes à l'eau bouillante salée, rafraîchissez-les et égouttez-les. Nettoyez les champignons. Raccourcissez les queues, coupez en morceaux les plus gros. Lavez le persil, épongez-le, effeuillez-le. Ciselez les feuilles.

2 Faites chauffer 25 g environ de beurre dans une poêle. Faites-y dorer les petits oignons sur feu vif de 1 à 2 minutes, ajoutez les champignons et poursuivez la cuisson de 2 à 3 minutes. Salez et poivrez, réservez au chaud.

3 Lavez les côtes de veau et essuyez-les. Mettez l'huile et le reste de beurre à chauffer dans une grande poêle. Faites-y dorer les côtes de veau sur feu vif de 2 à 3 minutes de chaque côté. Salez et poivrez. Réservez avec les oignons et les champignons.

4 Jetez la graisse de cuisson, déglacez la poêle avec la crème fraîche et ajoutez le calvados. Faites bouillir, salez et poivrez. Remettez les côtes de veau dans la poêle avec les oignons et les champignons. Faites chauffer doucement pendant 5 minutes.

5 Mettez les côtes sur un plat chaud, nappez-les de sauce aux champignons et oignons, parsemez de persil. Servez aussitôt avec un gratin de choux-fleur *(voir p. 112)* et/ou des pommes berrichonnes *(voir p. 116)*.

Le calvados

Le calvados fut sans doute inventé il y a plusieurs siècles par un gentilhomme normand, Gilles de Gouberville, qui eut l'idée de distiller son cidre. Alcool noble et d'ancienne tradition, le calvados est soumis à des contrôles stricts de production et de qualité. Comme pour le cidre, on emploie également pour le calvados des variétés de pommes spéciales. Après le pressurage, le cidre fermente pendant environ 7 mois, jusqu'à disparition complète du sucre. Puis il est distillé deux fois, ce qui a pour effet de séparer l'alcool de l'eau contenue dans le cidre. Lors de la première distillation, on obtient un alcool à 30 %; lors de la seconde, on arrive à 70 %. Ensuite, le calvados vieillit au moins pendant 2 ans dans des fûts de chêne. C'est après que l'on ajoute au calvados mis en bouteille (tout de suite ou au cours des 15 années suivantes) de l'eau distillée pour faire baisser le taux d'alcool à 40 %. Un calvados qui a vieilli pendant 20 ans dans un fût de chêne n'a pas besoin d'être additionné d'eau: il a 40 % d'alcool. À la différence du cidre, le calvados devient meilleur en vieillissant. Plus longtemps il reste en fût de chêne, plus ses arômes de pomme, de vanille et de caramel gagnent en intensité. Mais sitôt qu'il est mis en bouteille, il ne vieillit plus, même s'il y reste encore 10 ans ou plus.

Le calvados du pays d'Auge est l'AOC la plus célèbre de calvados.

Tournedos à la tourangelle

Val de Loire • Se prépare à l'avance

aux fonds d'artichauts et champignons

Pour 4 personnes:
4 échalotes (100 g environ)
2 branches d'estragon
50 g environ de beurre
25 cl de vin blanc sec de qualité (vouvray, par exemple)
sel • poivre blanc du moulin
4 gros artichauts frais (400 g chacun)
le jus de 1 citron
300 g de petits champignons de couche
1 c. à s. d'huile d'arachide
4 tournedos de 3 cm d'épaisseur (200 g chacun environ)
2 cl de cognac
4 tronçons d'os de bœuf avec la moelle
100 g de crème fraîche épaisse
cresson ou persil plat pour garnir
4 tranches de pain de mie

Temps de préparation: 1 h 15

Par portion: 3 000 kJ/710 kcal

1 Pelez les échalotes, hachez-les menu. Lavez l'estragon, épongez-le. Faites fondre 15 g de beurre dans une petite casserole, ajoutez les échalotes et faites-les suer sur feu doux de 4 à 5 minutes, mouillez avec le vin, salez et poivrez, mettez l'estragon. Couvrez et laissez mijoter pendant 20 minutes. Réservez.

2 Pendant ce temps, parez les artichauts, effeuillez-les et coupez les queues. Retirez le foin avec une cuillère spéciale, lavez soigneusement les fonds. Faites chauffer 1 litre d'eau salée additionnée du jus de citron, ajoutez les fonds d'artichauts et faites-les cuire à couvert sur feu moyen pendant 25 minutes. Jetez l'eau de cuisson. Tenez les fonds d'artichauts au chaud dans la casserole fermée.

3 Nettoyez les champignons, raccourcissez les queues, coupez les plus gros. Faites chauffer 15 g de beurre dans une grande poêle, ajoutez les champignons et faites-les sauter 5 minutes sur feu moyen, salez et poivrez, réservez au chaud.

4 Mettez l'huile et le reste de beurre à chauffer dans une autre grande poêle. Faites-y saisir les tournedos sur feu vif pendant 2 minutes de chaque côté. (Faites-les cuire de 4 à 5 minutes si vous ne les aimez pas saignants.) Jetez la graisse fondue. Arrosez les tournedos de cognac avec une petite louche, flambez-les. Salez et poivrez lorsqu'il n'y a plus de flammes. Enveloppez aussitôt les tournedos de papier d'aluminium, puis recouvrez-les d'un tissu-éponge et tenez-les au chaud.

5 Pendant ce temps, faites chauffer 1 litre d'eau dans une grande casserole. Retirez du feu. Lavez les os à moelle, faites-les pocher dans l'eau bouillante de 2 à 3 minutes, jetez l'eau, tenez les os au chaud. Déglacez la poêle de cuisson de la viande avec le vin parfumé à l'échalote (après l'avoir passé en appuyant bien avec le dos d'une cuillère), grattez à la spatule, puis ajoutez la crème fraîche et faites bouillir de 2 à 3 minutes. Salez et poivrez. Ajoutez les champignons. Lavez le cresson ou le persil et épongez-le. Faites griller les tranches de pain de mie des deux côtés.

6 Placez un toast sur chaque assiette de service chaude, posez un tournedos dessus et décorez avec un fond d'artichaut. Dégagez la moelle des os et posez-la sur les fonds d'artichauts, nappez d'un peu de sauce aux champignons, versez le reste autour de la viande. Garnissez de cresson. Servez aussitôt.

Vin: servez un bon vin blanc de Loire, comme le vouvray, qui accompagne très bien les tournedos.

pur malt - triple
Monde

Carbonade flamande

Nord • Se prépare à l'avance

aux oignons, lard et bière

Pour 4 personnes:
3 ou 4 tranches de pain d'épice (75 g)
1 c. à s. de moutarde forte
5 gros oignons (750 g)
3 tranches de lard de poitrine (100 g)
75 g environ de saindoux
600 à 800 g de bœuf à braiser coupé en 8 tranches
sel • poivre • 1 bouquet garni
2 c. à s. de vinaigre de vin rouge vieux
50 cl de bière blonde
1 c. à s. de sucre roux

Temps de préparation: 3 h
Par portion: 3 100 kJ/740 kcal

1 Tartinez les tranches de pain d'épice de moutarde. Posez-les dans une cocotte. Pelez les oignons, coupez-les en deux, émincez-les. Taillez le lard en lardons. Mettez la moitié du saindoux dans 2 poêles. Faites-y revenir les oignons et les lardons sur feu moyen. Retirez-les quand ils sont bien dorés. Mettez le reste de saindoux dans les poêles, ajoutez les tranches de viande et faites-les dorer sur feu vif de chaque côté. salez et poivrez. Mettez la viande, les oignons et les lardons dans la cocotte en alternant les couches, terminez avec des oignons. Ajoutez le bouquet garni.

2 Jetez la graisse fondue, déglacez les poêles avec le vinaigre, 25 cl d'eau et la bière, versez le jus obtenu dans la cocotte. Couvrez et laissez mijoter doucement pendant 2 heures. Retirez le bouquet garni. Saupoudrez de sucre et poursuivez la cuisson de 15 à 30 minutes, jusqu'à ce que la viande soit très tendre. Servez dans un plat creux bien chaud. Faites réduire éventuellement le jus de cuisson. Proposez comme garniture des pommes de terre en robe de chambre, des frites ou des chips *(voir p. 116)*.

Bœuf miroton

Paris • Se prépare à l'avance

aux oignons et gratiné

Pour 4 personnes, soit: un plat à gratin de 1,5 l de contenance:
500 g de bœuf à bouillir
50 cl environ de bouillon de bœuf maison (voir note p. 116) ou tout prêt
4 gros oignons (600 g environ)
2 ou 3 gousses d'ail
50 g de saindoux • 1 c. à s. de farine
2 c. à s. de vinaigre de vin rouge vieux
beurre pour le plat
1/2 bouquet de persil plat
8 tranches de pain blanc rassis réduites en poudre ou 6 à 8 c. à s. de chapelure blanche
25 g de beurre

Temps de préparation: 2 h 45

Par portion: 2 500 kJ/600 kcal

1 Faites cuire la viande dans le bouillon *(voir note p. 116)*: faites réduire le bouillon à 33 cl.

2 Pelez les oignons, émincez-les, faites-les blanchir de 1 à 2 minutes à l'eau bouillante, égouttez-les. Pelez les gousses d'ail, coupez-les en deux, retirez le germe. Mettez le saindoux à chauffer dans une grande poêle. Faites-y dorer les oignons sur feu vif en remuant,saupoudrez de farine et versez le vinaigre, puis le bouillon en remuant sans arrêt. Ajoutez l'ail. Faites mijoter sur feu doux à découvert pendant 20 minutes, puis retirez l'ail.

3 Beurrez le plat à gratin. Détaillez la viande bouillie en tranches de 5 mm d'épaisseur. Remplissez le plat en alternant les tranches de viande et la sauce aux oignons. Terminez par une couche d'oignons.

4 Préchauffez le four à 250 °C (th. 9). Lavez le persil, épongez-le et ciselez les feuilles. Mélangez la mie de pain ou la chapelure avec le persil, parsemez ce mélange sur le dessus du plat, ajoutez le beurre en parcelles. Faites gratiner dans le haut du four pendant 10 minutes, jusqu'à ce que le gratin soit bien doré. Servez aussitôt avec de la baguette ou des pommes de terre en robe de chambre.

Note: Balzac appelait cette spécialité «le plat de Madame Pipelet», allusion à la cuisine simple et populaire des concierges parisiennes.

Agneau pré-salé aux navets

Bretagne • Se prépare à l'avance

Ragoût de viande aux tomates et navets

Ingrédients pour 4 personnes:
1 gigot d'agneau ou de mouton avec os (1,6 kg. Demandez au boucher de retirer l'os, de trancher la viande en 12 morceaux et de vous donner l'os)
1 bouquet garni • sel
1 oignon (100 g)
2 ou 3 gousses d'ail
3 ou 4 tomates mûres (500 g)
30 à 40 g de saindoux
poivre mélangé • 1 c. à s. de farine
12 petits navets (800 g à 1 kg), de préférence de Belle-Île ou de Saint-Malo

Temps de préparation: 1 h 50

Par portion: 2 600 kJ/620 kcal

1 Lavez les morceaux de viande et l'os, épongez-les. Mettez l'os dans une casserole avec 1 litre d'eau salée et le bouquet garni et faites bouillonner sur feu moyen. Pendant ce temps, pelez l'oignon et les gousses d'ail (fendez celles-ci en deux et retirez le germe), puis émincez-les. Lavez les tomates, pelez-les, coupez-les en quartiers, retirez les graines et le pédoncule.

2 Préchauffez le four à 175 °C (th. 3-4). Faites chauffer le saindoux dans une grande cocotte, ajoutez les morceaux de viande et faites-les dorer les uns après les autres de 4 à 6 minutes sur feu vif. (Si vous prenez du mouton, faites dorer les morceaux 10 minutes.) Retournez-les plusieurs fois. Jetez la graisse fondue, ajoutez l'oignon, l'ail et les tomates, mélangez, salez et poivrez, farinez, puis versez 50 cl de bouillon de cuisson de l'os (ou 50 cl d'eau bouillante), en laissant l'os et les aromates. Couvrez et faites cuire dans le four à mi-hauteur de 45 minutes à 1 heure.Vérifiez que la viande est bien cuite.

3 Pendant ce temps, lavez les navets, pelez-les, en laissant 1 cm de queue environ. Faites-les blanchir à l'eau bouillante salée de 8 à 10 minutes, jetez l'eau, puis mettez-les dans la cocotte pour finir de les cuire.

4 Servez la viande et les navets dans un plat creux bien chaud. Jetez l'os et le bouquet garni. Faites réduire la cuisson à 20 cl sur feu vif et versez la sauce sur le ragoût. Servez chaud avec du pain frais ou des pommes de terre.

Gigot de sept heures

servi avec le fond de braisage réduit

Berry • Assez long

Pour 4 à 6 personnes:
1 gigot d'agneau avec l'os (2 kg environ) ou, pour 10 à 12 personnes, 1 gigot de mouton avec l'os (5 kg) et le double des ingrédients suivants
5 ou 6 gousses d'ail
3 tranches de lard gras (150 g)
2 tranches de jambon cru (100 g)
2 c. à s. d'huile d'arachide
poivre mélangé du moulin
3 ou 4 gros oignons (500 g environ)
300 g environ de lard de poitrine maigre frais taillé en petites languettes
sel • 33 cl de vin blanc fruité (reuilly, par exemple)
papier sulfurisé

Temps de préparation: 8 h (+ 24 h de repos)

Par portion (pour 6 personnes): 5 500 kJ/1 300 kcal

1 Lavez la viande, épongez-la. Pelez les gousses d'ail et ôtez le germe. Taillez l'ail, le lard gras et le jambon en bâtonnets. Piquez-en tout le gigot régulièrement en les glissant entre la peau et la chair. Huilez la viande, poivrez-la et laissez-la reposer au frais pendant 24 heures (sortez-la 3 heures avant la cuisson).

2 Préchauffez le four à 200 °C (th. 6). Pelez les oignons, émincez-les. Tapissez une braisière de languettes de lard frais, ajoutez les oignons en couche. Salez le gigot, posez-le dans le plat. Rabattez les languettes de lard sur le gigot. Versez 33 cl d'eau et le vin. Recouvrez hermétiquement le gigot d'une feuille de papier sulfurisé, puis posez le couvercle sur la braisière. Faites cuire dans le bas du four pendant 30 minutes; baissez la température à 90 °C (th. 1-2), la plus basse, et laissez braiser doucement pendant 6 heures 30. (Pour une cuisson sur le gaz à feu doux, vérifiez la cuisson au bout de 2 heures.) Laissez reposer le gigot dans le four éteint pendant 10 minutes, puis retirez le papier sulfurisé.

3 Pendant ce temps, passez le fond de cuisson, dégraissez-le. Faites-le réduire à votre goût dans une petite casserole sur feu vif. Servez le gigot sur un grand plat de service bien chaud.

4 Découpez le gigot de sept heures à table. Servez à part la sauce et des pommes berrichonnes *(voir p. 116)*.

Mignon de porc aux pruneaux

à la crème et compote d'airelles

Val de Loire • Facile

Pour 4 personnes:
75 cl de vin blanc sec (vouvray, par exemple)
1 bâton de cannelle de 5 à 6 cm
10 grains de poivre noir écrasés
20 à 32 pruneaux avec le noyau (250 à 400 g), de préférence de Tours
250 g d'airelles fraîches
3 c. à s. de sucre ou 3 c. à s. de compote d'airelles et 1 c. à s. de sucre réduite à 1 c. à s.
2 petits filets de porc (400 g chacun) ou 800 g de blancs de volaille
2 c. à s. de farine
1 c. à s. d'huile d'arachide
1 c. à s. de beurre
sel • poivre mélangé du moulin
4 ou 5 c. à s. de crème fraîche épaisse

Temps de préparation: 50 mn (+ 2 h de trempage)

Par portion: 3 100 kJ/740 kcal

1 Faites bouillir le vin avec la cannelle et le poivre en grains. Lavez les pruneaux et mettez-les dans une terrine. Versez le vin dessus et laissez reposer de 1 à 2 heures.

2 Pendant ce temps, lavez les airelles, mettez-les dans une petite casserole, couvrez-les d'eau, ajoutez le sucre et faites cuire sur feu moyen à couvert de 8 à 10 minutes. Faites réduire sur feu vif en remuant et réservez.

3 Égouttez les pruneaux, entaillez-les au niveau de la queue, retirez délicatement les noyaux avec un petit couteau pointu et jetez-les. Faites bouillir les pruneaux rapidement dans le vin avec les épices, puis couvrez et faites mijoter doucement de 15 à 20 minutes. Tenez les pruneaux au chaud. Passez le vin de cuisson et faites-le réduire à 10 cl de liquide sirupeux. Réservez.

4 Pendant ce temps, lavez les morceaux de viande et épongez-les. Découpez les filets de porc en médaillons de 1 cm d'épaisseur (les blancs de volaille en morceaux de 3 à 4 cm d'épaisseur). Farinez-les.

5 Mettez l'huile et le beurre à chauffer dans une grande poêle. Faites-y dorer les médaillons de porc, par petites quantités, sur feu vif de 4 à 6 minutes. (Faites cuire les blancs de volaille sur feu moyen.) Retournez-les souvent. Jetez le gras, salez et poivrez la viande. Tenez-la au chaud avec les pruneaux.

6 Versez dans la poêle le vin réduit, la crème fraîche et la compote d'airelles. Faites chauffer en remuant, remettez les pruneaux et les médaillons de porc dans la poêle et laissez chauffer encore 5 minutes sur feu doux.

7 Servez aussitôt sur un plat de service bien chaud, avec des pommes de terre à la vapeur.

Vin: Servez avec ce plat le même vin qui a servi à le cuisiner, le délicat vouvray de la région de Tours.

Variante: Râble de garenne aux pruneaux
Exécutez cette préparation en remplaçant la viande de porc ou de volaille par des râbles de lapin de garenne, désossés par le volailler.

Note: Cette recette est très ancienne; elle a été introduite par les cuisiniers de la reine Catherine de Médicis. Comme à l'époque on ne connaissait pas le sucre de betterave on relevait les plats aigres-doux avec des pruneaux.

Tête de veau sauce gribiche

Île-de-France • Se prépare à l'avance

Sauce aux câpres, cornichons, œufs durs et herbes

Pour 4 personnes:
½ tête de veau (800 g environ) roulée et ficelée par le tripier ou 800 g de viande à bouillir (poitrine, queue de bœuf ou jarret)
le jus de 1 citron
1 gros oignon (150 g)
5 clous de girofle
3 ou 4 gousses d'ail
1 carotte
1 branche de céleri
1 bouquet garni (3 brins de persil plat, 1 feuille de laurier, 1 brin de thym ficelés ensemble avec du fil de cuisine)
sel • 10 grains de poivre noir

Pour la sauce gribiche:
1 petit oignon (40 g) ou 2 petites échalotes
¼ de bouquet de persil plat
2 œufs durs
1 c. à s. de câpres
4 à 6 cornichons
1 pointe de moutarde forte
sel • poivre blanc du moulin
10 à 20 cl d'huile d'arachide
1 pincée de sucre (facultatif)

Temps de préparation: 2 h 40

Par portion: 3 200 kJ/760 kcal

1 Lavez la viande, frottez-la de jus de citron, mettez-la dans une casserole d'eau froide et faites bouillir sur feu vif à découvert de 8 à 10 minutes. Jetez l'eau. Rafraîchissez la viande à l'eau froide.

2 Pelez l'oignon et piquez-le de clous de girofle. Pelez les gousses d'ail. Lavez la carotte et le céleri, coupez-les en tronçons. Remettez la viande dans une grande casserole, couvrez d'eau froide, ajoutez l'oignon, l'ail, la carotte, le céleri, le bouquet garni, du sel et le poivre. Portez à ébullition, couvrez et laissez mijoter doucement pendant 2 heures.

3 Pendant ce temps, pelez le petit oignon (ou les échalotes), lavez le persil, épongez-le. Écalez les œufs durs, coupez-les en deux, retirez les jaunes. Hachez menu oignon, persil, blancs d'œufs, câpres et cornichons, séparément. Écrasez les jaunes d'œufs à la fourchette. Préparez la sauce gribiche comme une mayonnaise: mélangez en fouettant les jaunes d'œufs, la moutarde, sel et poivre, versez l'huile d'abord goutte à goutte, puis en filet en fouettant vivement pour émulsionner. Incorporez en mélangeant bien les ingrédients hachés. Ajoutez éventuellement une pincée de sucre.

4 Égouttez la viande. Retirez la ficelle, découpez en tranches que vous disposerez sur un plat chaud. Posez 1 c. à s. de sauce sur chaque tranche et servez le reste à part. Servez en même temps des pommes de terre en robe de chambre, des légumes étuvés ou des endives à la flamande *(voir p. 109)*.

Vin: Un bourgueil, rouge ou rosé de Touraine, servi frais, transforme ce plat de tous les jours en un mets de fête.

Variante: Tripes à la mode de Caen
Commandez chez le tripier 1 kg de bonnet, caillette, feuillet et panse mélangés (ou 1 kg de tripes et boyaux mélangés). Taillez-les en carrés ou rectangles de 4 à 7 cm de côté. Laissez-les tremper pendant 30 minutes dans l'eau froide. Faites-les blanchir de 8 à 10 minutes à découvert. Mettez dans une grande marmite ½ pied de veau et ½ pied de bœuf (ou 1 pied de veau entier et 1 os à moelle de 500 g). Faites scier par le boucher les morceaux trop gros. Mettez les tripes par-dessus, ajoutez 200 g de carottes et 200 g d'oignons émincés, 1 c. à s. de sel, du poivre, 2 feuilles de laurier et 2 ou 3 pincées de thym, versez 25 cl d'eau. Couvrez hermétiquement de papier sulfurisé beurré, face beurrée contre les tripes. Portez à ébullition, puis posez le couvercle sur la marmite et faites cuire tout doucement pendant 20 heures. Retirez le couvercle et le papier sulfurisé, ajoutez 25 cl d'eau et 3 ou 4 cl de calvados (ou 25 cl de cidre brut). Salez et poivrez. Faites mijoter à découvert pendant 4 heures sur feu doux. Le liquide doit réduire légèrement. Retirez le os et le laurier, mettez les tripes dans une terrine en terre à feu. Laissez refroidir complètement, dégraissez et faites réchauffer à nouveau. Servez brûlant avec des pommes de terre à l'eau et du cidre.

LES LÉGUMES

Dans les régions de l'Ouest et du Nord, les légumes poussent en abondance et les recettes pour les accommoder sont innombrables. Chaque terroir privilégie souvent un légume en particulier, qui constitue sa spécialité. On a en outre toujours apprécié les primeurs, qui font leur apparition au début du printemps.
Les habitants de la Vendée aiment particulièrement les mogettes, petits haricots en grains séchés dont ils font même des tartines. La traditionnelle grillée de mogettes se compose d'une tranche de pain de campagne grillée et beurrée que l'on garnit de mogettes cuites et refroidies.
La réputation des champignons de Paris, considérés eux aussi comme des légumes, a dépassé les frontières de leur pays d'origine. Ces champignons ne sont plus cultivés à Paris ni dans ses faubourgs depuis longtemps, mais essentiellement dans les caves de tuffeau des bords de la Loire.
Ces champignons de couche ainsi que les fonds d'artichauts ou d'autres légumes servent de garnitures pour des plats de viande ou de poisson, mais sont aussi cuisinés en tant que tels, pour des salades, des entrées, des gratins, etc. En Bretagne, la manière la plus simple d'apprêter les petits légumes de printemps consiste à les faire cuire à l'eau salée et à les arroser de beurre salé juste fondu.
Depuis qu'Antoine Augustin Parmentier, un pharmacien originaire de Picardie, a popularisé la consommation de la pomme de terre grâce au soutien de Louis XVI, il existe en France de très nombreuses recettes qui savent exploiter au mieux ce tubercule, par exemple les pommes de terre soufflées ou les œufs Toupinel *(p. 115)*.
Cette création devrait son nom à un vaudeville d'Alexandre Bisson (1848-1912), où le Toupinel en question, personnage clé de la pièce, n'apparaît jamais sur scène, car il est mort et enterré. L'œuf poché est servi dans une pomme de terre évidée, dont la pulpe est enrichie de jambon et d'une délicieuse sauce crémeuse.
Avec des spécialités comme ces œufs Toupinel, parfaits pour un en-cas, servez à votre goût un vin rouge bien charpenté ou un vin blanc sec.

Jardinière de printemps

Val de Loire • Facile

Petits légumes, sauce à la crème et menthe

Pour 4 personnes:
1 kg de petits pois frais (400 g écossés)
2 bottes de petits oignons de printemps (300 g environ)
400 g de pointes d'asperges (1 botte de 1 kg d'asperges de Vineuil, par exemple)
½ bouquet de menthe fraîche
sel
25 g de beurre
100 g de crème fraîche
poivre blanc du moulin
1 pincée de sucre

Temps de préparation: 40 mn

Par portion: 1 000 kJ/240 kcal

1 Écossez les petits pois. Lavez les petits oignons, les asperges et la menthe. Épongez la menthe et effeuillez-la. Coupez les racines et le vert des oignons, laissez ceux-ci entiers. Coupez les pointes des asperges à 5 cm (gardez les tiges pour un autre emploi, comme le velouté d'asperges, *(voir p. 56)*. Pelez éventuellement les pointes, juste sous la tête.

2 Portez à ébullition de l'eau salée dans une grande casserole et faites-y cuire les légumes à découvert, séparément, sur feu vif: les petits pois pendant 10 minutes, les oignons et les pointes d'asperges de 6 à 8 minutes. Jetez l'eau de cuisson, rafraîchissez les légumes dans de l'eau glacée de 1 à 2 minutes. Égouttez-les dans une passoire.

3 Faites chauffer le beurre dans une poêle. Ajoutez les légumes et remuez-les dans le beurre fondu de 1 à 2 minutes sur feu moyen, sans les laisser colorer. Ajoutez la crème fraîche, une pincée de sel, du poivre et le sucre. Couvrez et laissez infuser tout doucement de 1 à 3 minutes. Ciselez les feuilles de menthe en en laissant quelques-unes entières.

4 Versez les légumes dans un plat creux bien chaud, parsemez de menthe. Servez chaud avec un poisson, comme les filets de sole normande *(voir p. 71)*, une volaille ou une viande, comme la marmite sarthoise *(voir p. 86)* ou le gigot de sept heures *(voir p. 99)*.

Asperges à la flamande

avec une sauce aux œufs

Nord • Se prépare à l'avance

Pour 4 personnes:
2 kg de grosses asperges blanches (40 environ)
sel
25 g de beurre
1 ou 2 pincées de sucre
persil plat ciselé pour garnir (facultatif)

Pour la sauce:
2 œufs extra-frais
100 g de beurre très frais
sel
poivre mélangé du moulin

Temps de préparation: 1 h

Par portion: 1 500 kJ/360 kcal

1 Pelez délicatement les asperges en allant de la tête vers le pied, de préférence avec un couteau économe. Coupez la base du pied, un peu fibreuse. Retaillez toutes les asperges à la même longueur et lavez-les. Ficelez-les en bottillons, 8 par 8.

2 Faites bouillir de l'eau dans un grand faitout ou une marmite à asperges, avec sel, beurre et sucre. Plongez-y les asperges, de préférence debout, sans que l'eau les recouvre complètement. Couvrez de papier d'aluminium et faites cuire sur feu moyen pendant 20 minutes. Égouttez les asperges, déficelez-les et diposez-les dans 2 plats de service chauds, couvrez de serviettes pliées bien chaudes.

3 Pendant la cuisson des asperges, mettez les œufs dans une casserole d'eau froide, portez à ébullition et faites-les cuire sur feu moyen de 8 à 10 minutes. Rafraîchissez-les aussitôt, écalez-les et coupez-les en deux. Retirez les jaunes, écrasez-les à la fourchette en ajoutant 1 blanc d'œuf. Hachez menu le second blanc. Faites chauffer le beurre. Ajoutez la purée d'œufs et mélangez, salez et poivrez.

4 Retirez les serviettes et arrosez les asperges d'un peu de sauce. Ajoutez le blanc d'œuf haché en garniture ainsi que du persil, selon votre goût. Servez le reste de sauce à part avec des pommes de terre en robe de chambre.

Fèves à la tourangelle

Val de Loire • Très simple

aux petits oignons, cerfeuil et jambon

Pour 4 personnes:
24 petits oignons grelots (1,2 kg environ)
1,2 kg de fèves fraîches
1 bouquet de cerfeuil
1 ou 2 belles tranches de jambon cuit à l'os (200 g environ)
sel • 25 g de beurre
1 ou 2 c. à s. de crème fraîche
4 jaunes d'œufs extra-frais
cinq poivres du moulin
1 pincée de sucre (facultatif)

Temps de préparation: 1 h

Par portion: 2 900 kJ/690 kcal

1 Lavez les petits oignons, coupez les racines et le vert, laissez-les entiers. Écossez les fèves, lavez le cerfeuil, épongez-le et ciselez les feuilles. Hachez grossièrement le jambon.

2 Faites blanchir les fèves dans 1 litre d'eau bouillante salée sur feu vif pendant 5 minutes à découvert. Égouttez-les et conservez 35 cl de bouillon. Rafraîchissez les fèves à l'eau glacée et égouttez-les.

3 Faites chauffer le beurre dans une grande poêle, ajoutez les oignons et faites-les dorer sur feu moyen pendant 5 minutes en remuant souvent la poêle. Ajoutez le jambon. Dans une grande casserole, faites bouillir le bouillon avec la crème fraîche, retirez du feu, ajoutez les jaunes d'œufs, salez, poivrez et sucrez. Ajoutez les fèves, les oignons et le jambon, mélangez. Couvrez et faites mijoter tout doucement pendant 5 minutes. Ajoutez le cerfeuil et remuez.

4 Servez bien chaud, avec des pommes de terre en robe de chambre, des pommes berrichonnes *(voir p. 116)*, des œufs Toupinel *(voir p. 115)* ou un gigot de sept heures *(voir p. 99)*.

Endives à la flamande

Nord • Facile

braisées au beurre

Pour 4 personnes:
sel
4 belles endives (600 g)
75 g de beurre à température ambiante
poivre blanc du moulin
1 pincée de sucre
le jus de ½ citron

Temps de préparation: 40 mn

Par portion: 690 kJ/160 kcal

1 Faites chauffer 1,5 litre d'eau salée dans une grande casserole. Parez les endives, lavez-les et faites-les cuire sur feu vif pendant 5 minutes. Égouttez-les dans une passoire.

2 Faites chauffer 25 g de beurre dans une poêle ou un plat à gratin. Ajoutez les endives et retournez-les dans le beurre fondu, salez, poivrez et sucrez. Beurrez une feuille de papier sulfurisé, posez-la face beurrée sur les endives. Laissez cuire doucement pendant 20 minutes en retournant à mi-cuisson.

3 Mettez les endives dans un plat chaud. Faites chauffer le reste de beurre dans une petite casserole et versez-le aussitôt sur les endives. Servez ce plat comme en-cas avec du pain frais ou comme garniture avec du poisson grillé ou cuit au four, avec de la tête de veau *(voir p. 103)* ou une marmite sarthoise *(voir p. 86)*.

Variante: Endives au gratin
Préparez une sauce Béchamel *(voir p. 112)*, avec 25 g de beurre, 1 c. à s. de farine, 50 cl de lait, sel et poivre (20 minutes de cuisson). Incorporez 25 g de comté râpé. Faites blanchir les endives comme indiqué ci-dessus, coupez-les en deux et rangez-les dans un plat à gratin beurré, face coupée vers le haut. Nappez de sauce Mornay *(voir p. 115)*, poudrez avec 25 g de fromage râpé. Faites gratiner dans le four à mi-hauteur à 200 °C (th. 6) de 15 à 20 minutes. Servez aussitôt.

Gratin de poireaux

Normandie • Facile

aux pommes de terre et à la crème

Pour 4 personnes:
3 gros poireaux (environ 600 g)
600 g de pommes de terre à chair ferme
beurre pour le plat • 12 cl de lait
100 g de crème fraîche • sel
noix muscade râpée • 25 g de beurre
poivre mélangé du moulin
75 g de gruyère fraîchement râpé

Temps de préparation: 1 h 30

Par portion: 1 600 kJ/380 kcal

1 Lavez les poireaux et les pommes de terre. Détaillez en rondelles de 1 cm les blancs des poireaux (en ne prenant qu'un peu de vert). Beurrez un plat à gratin. Mélangez le lait et la crème fraîche, salez et agrémentez de muscade. Faites chauffer le beurre dans une grande poêle, ajoutez les poireaux et faites-les étuver doucement à couvert pendant 10 minutes, salez et poivrez. Préchauffez le four à 175 °C (th. 3-4).

2 Pelez les pommes de terre et coupez-les en rondelles de 0,3 cm d'épaisseur, épongez-les, salez-les et poivrez-les. Mélangez les pommes de terre, les poireaux et la moitié du fromage râpé, versez la préparation dans le plat, ajoutez le mélange lait-crème fraîche et le reste de râpé. Faites gratiner dans le four à mi-hauteur pendant 55 minutes. Servez très chaud avec du lapin *(voir p. 91)*, un gigot de sept heures *(voir p. 99)* ou de la tête de veau *(voir p. 103)*.

On produit en France plus de 200 000 tonnes de poireaux par an.

Le poireau

Le poireau est une culture potagère très ancienne que le Moyen Âge connaissait déjà. Son goût et son parfum trahissent sa parenté avec l'ail et l'oignon. La France est l'un des plus gros producteurs de ce légume vert à tige blanche, notamment dans le Val de Loire, l'Île-de-France, la Bretagne, la Normandie et le Nord. Le poireau n'est pas une plante très fragile, il peut supporter même de fortes gelées, mais préfère les climats océaniques et tempérés. La période de récolte principale s'étend de septembre à mars-avril. Les fûts qui restent en terre pendant l'hiver sont récoltés au printemps suivant. Dès que le temps se réchauffe, en avril, une longue tige se développe, ornée d'une grosse fleur particulièrement décorative.
Le poireau, qui porte le surnom d'«asperge du pauvre» dans certaines régions, n'a jamais compté parmi les légumes préférés du potager, mais il reste indispensable dans les soupes et les marinades. Pourtant, depuis quelques années, les chefs de la grande cuisine semblent le redécouvrir, car il autorise des préparations très variées. On peut le faire étuver rapidement, mais il supporte aussi les cuissons prolongées. À l'achat, les poireaux bien frais ont des feuilles bien vertes et des racines fraîches. Le fût doit être blanc sur un tiers de la hauteur au moins. Sitôt coupé, il flétrit rapidement. Si les racines comportent un peu de terre, le légume se desséchera moins vite. Il est préférable de conserver les poireaux au frais dans le compartiment à légumes du réfrigérateur; dans de la terre humide, ils tiennent bien dans une cave pendant une dizaine de jours.

Chou-fleur au gratin

et sa sauce Béchamel

Bretagne • Facile

Pour 4 personnes, soit un plat à gratin de 20 cm de diamètre:
Pour la sauce Béchamel:
50 cl de lait • 25 g de beurre demi-sel
1 c. à s. de farine • poivre blanc
noix muscade fraîchement râpée

Pour le gratin:
25 cl de lait • sel
1 chou-fleur de 1 kg
25 g de beurre demi-sel
beurre pour le plat
25 g de chapelure blanche
30 g de gruyère fraîchement râpé

Temps de préparation: 50 mn

Par portion: 1 400 kJ/330 kcal

1 Pour la sauce, faites chauffer le lait. Mettez le beurre à fondre dans une grande casserole, ajoutez la farine et mélangez sur feu doux, puis versez le lait petit à petit en remuant. Faites mijoter à découvert sur feu doux pendant 20 minutes en remuant souvent. Poivrez et agrémentez de muscade.

2 Pendant ce temps, faites chauffer 2 litres d'eau avec 25 cl de lait dans une grande casserole et salez. Lavez le chou-fleur, détachez les bouquets et ajoutez-les dans le bouillon. Laissez cuire à découvert sur feu moyen de 8 à 10 minutes. Égouttez-les dans une passoire. Faites chauffer le beurre dans une poêle. Ajoutez les bouquets de chou-fleur et faites-les dorer sur feu moyen à découvert pendant 5 minutes. Retirez la poêle du feu.

3 Préchauffez le four à 200 °C (th. 6). Beurrez le plat à gratin, étalez-y le chou-fleur, nappez-le de sauce Béchamel; mélangez chapelure et râpé, saupoudrez-en le dessus du plat et faites gratiner dans le four à mi-hauteur de 15 à 20 minutes, jusqu'à ce que le dessus soit bien doré.

4 Servez chaud comme plat de légume unique ou en garniture de poisson, comme la sole *(voir p. 71)*, de viande, comme la marmite sarthoise *(voir p. 86)*, ou avec des œufs Toupinel *(voir p. 115)*.

Chou rouge aux pommes

Picardie • Assez long

braisé au vinaigre et au vin

Pour 4 à 6 personnes:
1 chou rouge (1,250 kg environ)
1 gros oignon (environ 150 g)
4 pommes acides (800 g de reinettes, par exemple)
80 g de beurre
2 feuilles de laurier
sel
poivre mélangé du moulin
2 c. à s. de vinaigre de vin rouge vieux ou de vinaigre de framboise
25 cl de vin rouge fruité (touraine-mesland, par exemple)
1 ou 2 c. à s. de sucre roux

Temps de préparation: 4 h

Par portion (pour 6 personnes): 1 000 kJ/240 kcal

1 Parez le chou en éliminant les grosses feuilles de l'extérieur, lavez-le et coupez-le en quatre. Retirez le trognon. Taillez les feuilles en fine julienne de 0,3 à 0,5 cm. Pelez l'oignon et coupez-le en deux, puis émincez-le. Lavez 2 pommes, coupez-les en deux, retirez le cœur, pelez-les et taillez-les en dés.

2 Faites chauffer environ 50 g de beurre dans une cocotte. Faites-y dorer l'oignon et les pommes en remuant sur feu vif pendant 5 minutes. Ajoutez le chou rouge et le laurier, mélangez bien, salez et poivrez. Ajoutez le vinaigre et le vin. Portez à ébullition, puis couvrez et faites mijoter doucement de 2 à 3 heures en remuant assez souvent. Retirez le laurier. Saupoudrez le chou de sucre en ajoutant 10 g de beurre et mélangez intimement.

3 Environ 15 minutes avant de servir, préchauffez le four à 200 °C (th. 6). Versez le chou rouge dans un plat à gratin et faites-le gratiner dans le four à mi-hauteur de 10 à 15 minutes.

4 Pendant ce temps, lavez les 2 pommes restantes, coupez-les en quartiers, retirez le cœur, pelez les fruits. Faites chauffer le reste de beurre dans une grande poêle, ajoutez les quartiers de pomme et faites-les dorer de 5 à 8 minutes sur feu moyen en remuant souvent. Garnissez le chou rouge de ces pommes.

5 Servez ce chou rouge aux pommes bien chaud comme plat principal ou pour garnir une viande rôtie, un canard *(voir p. 85, variante)*, un canard sauvage *(voir p. 88)*, une oie *(voir p. 89)* ou du lapin *(voir pp. 91 et 100, variante)*. À température ambiante, ce chou rouge fait une excellente salade avec de la viande.

AFE
PARIS

Œufs Toupinel

Île-de-France • Facile

Œufs pochés aux pommes de terre

Pour 4 personnes:
4 grosses pommes de terre Bintje ou à chair farineuse (200 g chacune environ)
500 g de gros sel de mer
1 tranche de jambon de Paris (100 g) ou d'autre jambon cuit
4 c. à s. de vinaigre de vin blanc vieux
4 œufs extra-frais
25 g de beurre demi-sel très frais (ou 25 g de beurre et 1 ou 2 pincées de sel)
4 c. à s. de crème fraîche

Pour la sauce Mornay:
25 cl de lait
15 g de beurre
1 c. à s. rase de farine
sel
noix muscade
1 c. à s. de crème fraîche
50 g de comté ou de gruyère fraîchement râpé

Temps de préparation: 2 h 20

Par portion: 2 200 kJ/520 kcal

1 Préchauffez le four à 200 °C (th. 6). Brossez soigneusement les pommes de terre sous l'eau froide, épongez-les. Étalez le gros sel sur la tôle du four et rangez-y les pommes de terre en les calant. Faites-les cuire dans le four à mi-hauteur pendant 1 heure. Vérifiez si elles sont bien cuites avec la pointe d'un couteau et poursuivez éventuellement la cuisson de 10 à 15 minutes.

2 Pendant ce temps, préparez la sauce Mornay. Faites chauffer le lait; mettez le beurre à fondre dans une casserole, ajoutez la farine et faites cuire en remuant sur feu doux. Versez peu à peu le lait chaud et laissez mijoter à découvert sur feu doux en remuant de temps en temps pendant 20 minutes. Salez et agrémentez de noix muscade. Incorporez ensuite la crème fraîche et le fromage râpé, mélangez jusqu'à ce qu'il soit complètement fondu. Réservez.

3 Taillez le jambon en petits dés. Faites bouillir 1,5 litre d'eau dans une casserole avec le vinaigre. Cassez les œufs un par un dans un bol et faites-les glisser dans l'eau frémissante. Pochez-les pendant 3 minutes,retirez-les avec une écumoire et plongez-les quelques secondes dans de l'eau froide. Égouttez-les sur du papier absorbant.

4 Retirez de chaque pomme de terre, horizontalement, une épaisseur d'un tiers environ, formant le chapeau. Évidez les pommes de terre jusqu'à la moitié environ avec une petite cuillère, puis replacez-les évidées sur le gros sel. Pelez les chapeaux. Écrasez à la fourchette dans une jatte la pulpe extraite et celle des chapeaux. Incorporez le beurre et la crème fraîche ainsi que le jambon. Remplissez les pommes de terre de ce mélange, ménagez un petit creux, sur le dessus, pour y placer les œufs pochés et versez-y 1 c. à s. de sauce Mornay. Posez les œufs et nappez-les du reste de sauce.

5 Faites gratiner les pommes de terre sous le gril ou dans le four préchauffé à 250 °C (th. 9), à mi-hauteur, de 4 à 5 minutes.

6 Servez à la sortie du four pour accompagner du poisson grillé, un plat de légume, comme le gratin de chou-fleur *(voir p. 112)*, ou comme en-cas avec une salade.

Vin: Avec les œufs en sauce ou les plats de pommes de terre, on peut servir, selon les goûts, soit un vin rouge bien charpenté, soit un vin blanc sec de la région de la Loire, comme le sancerre.

Chips de pommes de terre

Île-de-France • Facile

légères et croustillantes

Pour 4 personnes:
8 pommes de terre Bintje ou à chair farineuse (1,2 kg environ)
1,5 à 2 l d'huile d'arachide ou végétale
sel fin

Temps de préparation: 1 h

Par portion: 1 800 kJ/430 kcal

1 Pelez les pommes de terre, lavez-les, puis détaillez-les en tranches fines de 0,3 cm d'épaisseur. Épongez-les soigneusement. Faites chauffer l'huile dans une grande bassine jusqu'à ce qu'elle bouille et que de petites bulles montent le long d'une rondelle de pomme de terre plongée dedans comme test. Faites frire les chips par portion dans l'huile bouillante pendant 5 minutes jusqu'à ce qu'elles soient dorées et croustillantes.

2 Égouttez les chips sur du papier absorbant. Saupoudrez-les de sel et servez-les aussitôt en garniture, par exemple avec une carbonade flamande *(voir p. 97)*.

Variante: Pommes de terre soufflées
Pelez et lavez les pommes de terre, puis taillez-les en carrés de 0,5 cm d'épaisseur et de 3 cm de côté environ. Faites-les d'abord frire dans un bain d'huile à 110 °C de 2 à 3 minutes, puis égouttez-les. Faites alors chauffer le bain d'huile à 210 °C, puis procédez à une seconde friture, par groupe de 5 ou 6, en remuant avec une cuillère en bois, jusqu'à ce qu'elles gonflent. Égouttez. Juste avant de servir, faites-les frire toutes ensemble encore une fois. Égouttez et salez.

Note: Les pommes de terre soufflées ne gonflent bien que si l'huile est très chaude. Si vous n'obtenez pas de gonflement, servez-les telles quelles, comme des frites plates.

Pommes berrichonnes

Centre • Facile

Pommes de terre aux lardons et petits oignons

Pour 4 personnes:
50 cl de bouillon de bœuf instantané ou maison (voir note)
200 g de petits oignons grelots
2 ou 3 gousses d'ail
4 tranches de lard de poitrine maigre (100 g)
600 g de pommes de terre à chair ferme
25 g de saindoux • sel
cinq poivres du moulin
2 feuilles de laurier
1 ou 2 pincées de thym séché

Temps de préparation: 2 h 45
Par portion: 1 400 kJ/330 kcal

1 Préparez le bouillon (voir note) ou réchauffez-le. Pelez les oignons. Pelez les gousses d'ail, retirez le germe. Hachez grossièrement ail et oignons. Taillez le lard en languettes. Pelez les pommes de terre, lavez-les, coupez-les en dés. Faites chauffer le saindoux dans une grande sauteuse. Ajoutez les lardons, les oignons, l'ail et les pommes de terre, faites dorer le tout en remuant sur feu moyen pendant 5 minutes. Salez et poivrez modérément, ajoutez le laurier et le thym. Couvrez de bouillon chaud. Faites mijoter à demi-couvert sur feu doux pendant 15 minutes jusqu'à ce que les pommes de terre soient tendres et que le bouillon soit presque évaporé. Servez chaud avec un gigot de sept heures *(voir p. 99)*.

Note: Pour 75 cl de bouillon de bœuf et 500 g de bouilli de bœuf, lavez 800 g de bœuf à braiser (poitrine, queue ou jarret); pelez 1 oignon moyen, piquez-le de 5 clous de girofle. Mettez l'oignon et le bœuf dans une marmite, ajoutez 1 bouquet garni, 10 grains de poivre et 1 litre d'eau. Portez à ébullition sur feu vif, salez et couvrez, puis faites mijoter doucement pendant 2 heures. Réservez la viande pour un bœuf miroton *(voir p. 97)*. Passez et dégraissez le bouillon.

DESSERTS ET PÂTISSERIES

Le dessert, entremets ou pâtisserie fine, est toujours servi après le fromage. Dans l'ouest, le nord et le centre de la France, paradis des pommes, d'innombrables gâteaux et friandises sont confectionnés avec ces fruits. Il suffit de citer la célèbre tarte Tatin *(p. 120)*, une tarte renversée aux pommes née en Sologne, pour que l'eau vous vienne à la bouche. Son nom varie, ainsi que la pâte – parfois feuilletage à la place de la pâte brisée –, mais il s'agit bien du dessert inventé par les sœurs Tatin à Lamotte-Beuvron, toujours à base de pommes.
On peut également mélanger les pommes avec les crêpes, comme on le fait souvent dans l'ouest et le centre de la France. Quant aux fameuses crêpes Suzette, elles sont particulièrement fines, fourrées de beurre de mandarine. La question de savoir si elles furent créées par le maître d'hôtel du célèbre restaurant Bignon, avenue de l'Opéra à Paris, ou par le cuisinier Henri Charpentier, à Monte-Carlo, pour le prince de Galles et sa compagne Suzette, n'est pas résolue. Mais il est vrai que les authentiques crêpes Suzette ne sont jamais flambées.
Pour les jours de fête, on aime aussi les desserts à base de biscuits à la cuillère, les délicates charlottes, mais même pour le quotidien, on ne manque pas d'enrichir de simples gaufres avec un peu de crème Chantilly. Cette exquise crème fouettée est née un jour d'une erreur, tout comme la tarte Tatin, d'ailleurs. Le célèbre Vatel, qui officiait au château de Chantilly, demanda à un jeune apprenti d'incorporer un peu de sucre et de vanille à de la crème fraîche liquide très froide. Mais ce dernier fouetta la crème si fort qu'il la transforma en neige. Depuis, nombreuses sont les pâtisseries que l'on agrémente de cette délicate garniture, par exemple les choux à la crème, une autre manière de traiter la pâte à choux, qui sert aussi à préparer le paris-brest.
En général, après le dessert, on propose du café et bien souvent un verre d'alcool de la région en guise de digestif.

Tarte Tatin

Centre • Facile

Succulente tarte renversée aux pommes

Pour 4 personnes, soit 1 moule en cuivre de 22 à 24 cm de diamètre:

Pour la pâte:

100 g de beurre froid
150 g de farine • 25 g de sucre
1 pincée de sel
1 petit jaune d'œuf extra-frais
1 c. à s. de lait

Pour la garniture:

6 pommes moyennes assez acides (1 kg de reinettes, par exemple)
40 g de beurre • 75 g de sucre
150 g de crème fraîche froide + 1 c. à s. de sucre en poudre (facultatif)

Temps de préparation: 1 h 25 (+ 20 mn de repos)

Par portion: 3 200 kJ/760 kcal

1 Coupez le beurre froid en lamelles, mélangez-le avec la farine, le sucre et le sel en l'émiettant; incorporez le jaune d'œuf et le lait. Pétrissez la pâte et abaissez-la, quand elle est lisse, en un disque de 26 cm de diamètre. Laissez reposer l'abaisse sur un film alimentaire au réfrigérateur pendant 30 minutes.

2 Pendant ce temps, lavez les pommes, coupez-les en quartiers, retirez le cœur et les pépins, pelez-les. Préchauffez le four à 200 °C (th. 6). Faites chauffer le beurre et 1 c. à s. de sucre dans dans une poêle, rangez-y les pommes en cercles concentriques. Saupoudrez-les du reste de sucre, faites-les dorer et caraméliser sur feu moyen de 10 à 15 minutes, en les retournant une fois. Disposez-les ensuite en cercles concentriques dans un moule à tarte.

3 Placez l'abaisse de pâte sur les pommes, puis retirez le film alimentaire. Aplatissez le bord de la pâte le long des pommes. Faites cuire dans le four à mi-hauteur de 30 à 40 minutes jusqu'à ce que la pâte soit bien dorée. Laissez reposer dans le four éteint, porte ouverte, pendant 5 minutes.

4 Sortez la tarte du four. Posez un plat de service résistant à la chaleur à l'envers sur le moule et renversez le tout. Attendez 30 secondes pour que les pommes se décollent, puis retirez le moule et laissez la tarte refroidir pendant 15 minutes.

5 Servez la tarte Tatin tiède, accompagnée, selon votre goût, de crème fraîche bien froide fouettée avec du sucre.

Vin: Avec la tarte Tatin, servez un quincy, vin blanc de la région du Cher.

Variante: Tarte aux pommes et au miel caramélisée
Préparez la pâte ainsi que les pommes comme dans la recette de Tatin. Recoupez chaque quartier de pomme en 3 lamelles. À la place du sucre, faites chauffer 100 g de miel de romarin dans le moule et faites pivoter celui-ci (en le manipulant avec des gants isolants) afin que le miel se dépose sur les bords (2 ou 3 cm) et dans le fond. Lavez et effeuillez un brin de romarin frais, éparpillez les feuilles sur le miel, puis disposez les tranches de pomme en cercles concentriques par-dessus. Posez l'abaisse de pâte dessus, faites cuire, démoulez et servez comme la tarte Tatin.

Note: La légende rapporte que, au siècle dernier, Stéphanie Tatin, qui tenait un hôtel-restaurant avec sa sœur aînée Caroline à Lamotte-Beuvron, se trompa dans la préparation d'une tarte aux pommes et commença par mettre dans le moule les pommes caramélisées à la place du fond de tarte. Au lieu de recommencer, elle posa simplement la pâte sur les pommes, puis, après cuisson, renversa la tarte pour la servir à l'endroit. Cette tarte Tatin devint célèbre dans toute la France, mais bien avant les sœurs Tatin, on confectionnait déjà des tartes renversées aux pommes ou aux poires.

Conseil: Vous pouvez aussi réaliser des tartes Tatin individuelles dans des petits moules de 10 à 14 cm de diamètre. Une fois les pommes caramélisées, répartissez-les dans les moules, puis recouvrez-les de disques de pâte de 12 à 16 cm de diamètre.

Soufflé glacé au calvados

Normandie • Se prépare à l'avance

Une gourmandise aérienne

Pour 4 personnes, soit 4 petits moules à soufflé de 8 cm de diamètre et 4 cm de haut:
75 g de raisins secs mélangés
9 cl de calvados
2 pommes acides (200 g de reinettes, par exemple)
15 g de beurre
100 g environ de sucre
200 g de crème fraîche froide + 1 c. à s. de sucre en poudre
4 jaunes d'œufs extra-frais
6 cl de cidre doux
1 blanc d'œuf extra-frais
1 pincée de sel
feuilles de menthe pour garnir (facultatif)
4 bandes de papier sulfurisé de 8 x 30 cm

Temps de préparation: 1 h 15 (+ 24 h de trempage + 8 h de prise au froid)

Par portion: 2 000 kJ/480 kcal

1 Lavez les raisins secs, épongez-les, puis faites-les tremper pendant 24 heures dans 5 cl de calvados. Entourez chaque petit moule d'une bande de papier sulfurisé, collez les extrémités et mettez les moules ainsi préparés dans le congélateur.

2 Lavez les pommes, coupez-les en deux, retirez le cœur, pelez-les et taillez-les en dés de 5 mm de côté. Faites chauffer le beurre dans une grande poêle avec 1 c. à s. de sucre, ajoutez les dés de pomme et faites-les dorer de 4 à 5 minutes sur feu moyen en remuant souvent. Retirez la poêle du feu, arrosez les pommes de 2 cl de calvados, enflammez et flambez, puis laissez refroidir. Fouettez vivement la crème fraîche dans une jatte, incorporez 1 c. à s. de sucre en poudre et tenez-la au froid.

3 Travaillez les jaunes d'œufs et 70 g de sucre dans une terrine au bain-marie avec un fouet électrique ou manuel pendant 5 minutes. Lorsque le mélange est mousseux et jaune pâle, ajoutez le cidre lentement, puis fouettez vivement. Retirez cette crème du bain-marie, continuez à fouettez en mettant la terrine dans de l'eau glacée. Réservez.

4 Fouettez le blanc d'œuf avec une pincée de sel, puis incorporez délicatement le reste de sucre. Passez la lame d'un couteau dans la neige: si la trace subsiste, la neige est assez ferme. Incorporez à la crème aux œufs froide d'abord 2 cl de calvados, puis la crème fouettée et enfin l'œuf en neige.

5 Répartissez cet appareil dans les moules jusqu'à 1 cm au-dessus du bord, ajoutez les dés de pomme et la moitié des raisins secs égouttés, puis recouvrez-les du reste d'appareil à soufflé. Faites prendre au froid de 6 à 8 heures.

6 Sortez les moules, retirez les bandes de papier, garnissez les soufflés avec le reste des raisins secs. Décorez à volonté avec des feuilles de menthe lavées et épongées. Servez aussitôt. Important: veillez surtout à n'utiliser que des œufs extra-frais.

Note: Le soufflé est un entremets qui peut être servi chaud, froid ou glacé.

Crêpes aux pommes

Normandie • Se prépare à l'avance

légères et parfumées

Pour 4 personnes, soit 4 crêpes de 30 cm de diamètre:

Pour les crêpes:
12 cl de lait • 1 c. à s. de sucre
25 g de beurre • 1 œuf extra-frais
1 jaune d'œuf extra-frais
1 pincée de sel • 75 g de farine
50 g environ de beurre pour la cuisson

Pour la garniture:
750 g environ de pommes reinettes
2 ou 3 c. à s. de miel ou 2 c. à s. de sucre
50 g de beurre • 2 ou 3 cl de calvados
10 cl de cidre brut
1 bâton de cannelle de 5 ou 6 cm
150 g de crème fraîche et/ou glace à la vanille (facultatif)

Temps de préparation: 40 mn (+ 2 h de repos)
Par portion: 2 700 kJ/640 kcal

1 Faites chauffer le lait avec le sucre dans une petite casserole. Faites fondre le beurre dans une autre petite casserole. Mélangez dans une terrine l'œuf entier, le jaune d'œuf et le sel. Incorporez en les alternant la farine et le lait. Lorsque la pâte est lisse, ajoutez le beurre fondu et laissez reposer à température ambiante pendant au moins 2 heures.

2 Lavez les pommes, coupez-les en deux, retirez le cœur, pelez-les, puis retaillez chaque quartier en 3 ou 4 tranches régulières. Faites chauffer le miel ou le sucre dans une poêle et ajoutez le beurre en remuant. Mettez les pommes et faites-les caraméliser sur feu moyen en remuant souvent de 4 à 5 minutes. Retirez la poêle du feu, arrosez les pommes de calvados, enflammez et flambez, puis ajoutez le cidre et la cannelle. Faites mijoter sur feu doux à découvert en secouant la poêle d'avant en arrière pendant 5 minutes. Retirez le bâton de cannelle et tenez les pommes au chaud.

3 Faites chauffer de l'eau dans une grande casserole et posez une assiette dessus. Mettez un peu de beurre à chauffer dans une grande poêle et versez-y le quart de la pâte, faites cuire les 4 crêpes l'une après l'autre, en ajoutant un peu de beurre à chaque fois. Comptez 1 minute de chaque côté sur feu moyen. Tenez-les au chaud au fur et à mesure sur l'assiette.

4 Posez les crêpes sur des assiettes de service chaudes, garnissez de pommes avec le jus, refermez les crêpes sur la garniture et servez aussitôt avec de la crème fraîche et/ou une boule de glace à la vanille.

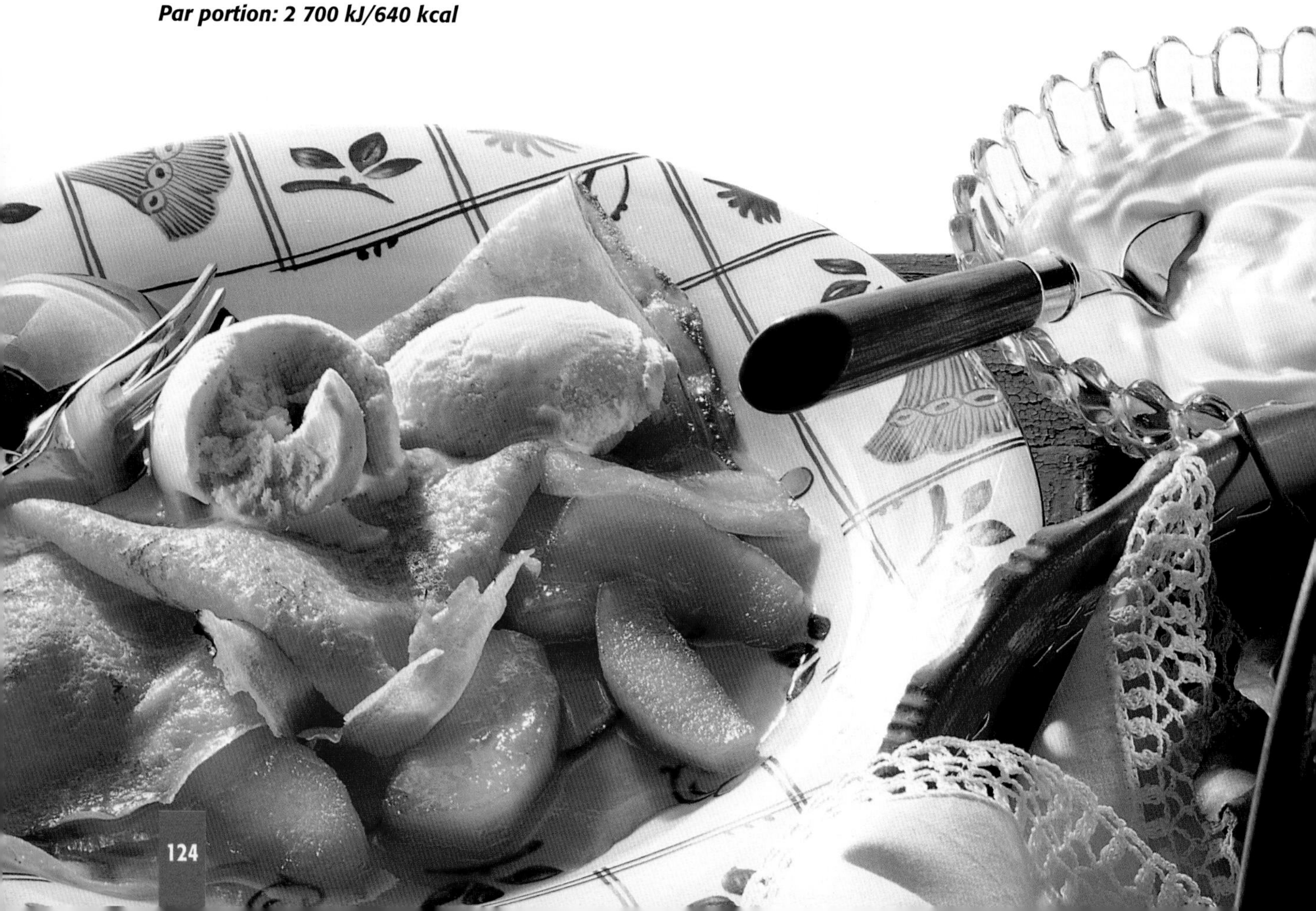

Crêpes Suzette

Paris • Se prépare à l'avance

Crêpes à la mandarine

Pour 4 à 8 personnes:
Pour la pâte à crêpes:
33 cl de lait
50 g de sucre • le zeste râpé de ½ mandarine non traitée
3 œufs • 1 pincée de sel
2 c. à s. de jus de mandarine
125 g de farine
30 g de beurre fondu
1 ou 2 cl de curaçao ou de Cointreau
100 g de beurre pour la cuisson

Pour le beurre de mandarine:
50 g de beurre à température ambiante
50 g de sucre • le zeste râpé de ½ mandarine non traitée
1 cl de curaçao ou de Cointreau

Temps de préparation: 1 h (+ 4 h de repos)

Par portion (pour 8 personnes): 1 400 kJ/330 kcal

1 Faites chauffer le lait avec le sucre et le zeste de mandarine. Mélangez dans une terrine les œufs, le sel et le jus de mandarine en fouettant. Ajoutez alternativement le lait et la farine. Lorsque la pâte est bien lisse, incorporez le beurre fondu et la liqueur d'orange. Laissez reposer à couvert pendant 2 à 4 heures.

2 Préparez le beurre de mandarine: travaillez le beurre et le sucre additionné du zeste de mandarine, incorporez la liqueur et façonnez 16 petites boulettes avec le bout d'une cuillère à moka. Mettez-les dans le réfrigérateur et laissez le reste de beurre de mandarine à température ambiante.

3 Faites chauffer de l'eau dans une casserole et posez une grande assiette dessus. Mettez 1 c. à s. de beurre à chauffer dans une grande poêle et faites-y cuire 16 grandes crêpes fines sur feu moyen pendant 1 minute de chaque côté. Ajoutez un peu de beurre pour chaque crêpe en le laissant fondre sur toute la surface de la poêle. Tenez les crêpes bien dorées au chaud sur l'assiette.

4 Tartinez légèrement chaque crêpe de beurre de mandarine à température ambiante. Repliez-les et servez-les aussitôt sur des assiettes chaudes en ajoutant une boulette de beurre de mandarine froid sur chaque crêpe. Garnissez de zeste de mandarine.

Gaufres flamandes

Nord • Se prépare à l'avance

Pâtisserie légère à la crème fouettée

Pour 8 gaufres de 9 x 15 cm chacune:
8 c. à s. de lait • 1 c. à s. de sucre
10 g de levure de boulanger
150 g de farine
100 g de beurre
½ gousse de vanille (facultatif)
2 œufs frais • 1 pincée de sel
2 à 4 cl de cognac
200 g de crème fraîche
2 pincées de vanille en poudre
+ 1 ou 2 c. à s. de sucre en poudre
sucre glace pour servir

Temps de préparation: 40 mn
(+ 1 h 15 de repos)

Par gaufre: 1 300 kJ/310 kcal

1 Faites chauffer 25 cl de lait avec le sucre. Délayez la levure dans une grande terrine avec 4 c. à s. de lait. Incorporez 25 g de farine et laissez lever à couvert pendant 15 minutes.

2 Faites fondre 60 g de beurre dans une sauteuse. Le cas échéant, fendez la gousse de vanille en deux et retirez les graines. Cassez les œufs, séparez les blancs des jaunes. Fouettez les blancs en neige avec une pincée de sel.

3 Incorporez au levain alternativement les jaunes d'œufs, 2 c. à s. de farine, les graines de vanille et 4 c. à s. de lait. Lorsque la pâte est bien lisse, ajoutez le beurre, le cognac et les blancs en neige. Recouvrez d'un film alimentaire et laissez lever au chaud pendant 1 heure: la pâte doit doubler de volume. Fouettez la crème fraîche avec la vanille et le sucre en poudre, tenez-la au froid.

4 Faites chauffer le moule à gaufres. Graissez-le éventuellement avec un peu de beurre. Battez encore une fois la pâte et remplissez le moule en comptant une louche par gaufre. Faites cuire pendant 2 minutes de chaque côté. Détachez les gaufres avec une spatule et servez-les chaudes, saupoudrées de sucre glace.

Boisson: Avec les gaufres chaudes, une tasse de chocolat est un pur délice.

Rabotes aux pommes

Picardie • Se prépare à l'avance

dans un délicat feuilletage

Pour 4 personnes:
Pour la pâte:
300 g de farine • 150 g de beurre
1 pincée de sel • 2 c. à s. de sucre roux
2 jaunes d'œufs extra-frais
ou 400 g de pâte feuilletée
(voir p. 45)

Pour la garniture:
4 belles reinettes
(200 g chacune environ)
100 g de sucre roux
beurre pour la tôle du four
150 g de crème fraîche (facultatif)

Temps de préparation: 1 h 15
(+ 1 h de repos)

Par portion: 3 900 kJ/930 kcal

1 Pour la pâte, mélangez sur le plan de travail la farine, le beurre, le sel et le sucre. Incorporez les jaunes d'œufs et 4 c. à s. d'eau froide (juste assez pour obtenir une pâte lisse et ferme). Laissez reposer au frais de 30 minutes à 1 heure.

2 Lavez les pommes et évidez-les avec un vide-pomme, puis pelez-les.

3 Préchauffez le four à 200 °C (th. 6). Abaissez la pâte sur 5 mm d'épaisseur, puis découpez-y 4 carrés avec une roulette à pâte. Posez une pomme sur chaque carré, remplissez de sucre le centre de chaque pomme, puis remontez les côtés du carré de pâte vers le pédoncule et pincez-les. Beurrez la tôle du four. Posez les pommes enveloppées de pâte à l'envers sur la tôle et faites-les cuire à mi-hauteur du four de 50 minutes à 1 heure. Servez les rabotes chaudes avec éventuellement de la crème fraîche. Vous pouvez remettre la queue de la pomme en place avant de servir.

Variante: Douillons aux poires
Préparez la pâte comme dans la recette ci-dessus. À la place des pommes, prenez 4 poires williams mûres, évidées et garnies avec 100 g de sucre mélangé avec 1 c. à c. de cannelle. Faites cuire au four comme ci-dessus et servez chaud.

Pain perdu aux pommes

Normandie • Facile

Entremets croustillant au pain brioché

Pour 4 personnes:
1 gousse de vanille
1 jaune d'œuf extra-frais
1 pincée de sel
10 cl de lait • 40 g de sucre
4 tranches de pain brioché de la veille
4 reinettes
75 g de beurre • 2 à 4 c. à s. de sucre
2 à 4 cl de calvados
4 c. à s. de crème fraîche

Temps de préparation: 40 mn
Par portion: 1 900 kJ/450 kcal

1 Fendez la gousse de vanille en deux et grattez les graines. Mélangez dans un plat creux le jaune d'œuf, le sel, le lait, le sucre et les graines de vanille. Posez-y les tranches de brioche pour qu'elles s'imbibent en les retournant.

2 Pelez les pommes, coupez-les en quartiers, retirez le cœur et retaillez-les en tranches. Faites chauffer 2 c. à s. de beurre dans une poêle, ajoutez les pommes et faites-les dorer sur feu vif de 4 à 5 minutes en les retournant . Saupoudrez-les de sucre, retirez la poêle du feu, arrosez les pommes de calvados et flambez-les. Tenez-les au chaud.

3 Faites chauffer le reste de beurre dans une autre grande poêle. Faites dorer les tranches de brioche sur feu moyen de 2 à 3 minutes de chaque côté.

4 Posez les tranches de brioche chaudes sur des assiettes, garnissez de pommes et de 1 cuillerée de crème fraîche par tranche.

Brioche parisienne

Se prépare à l'avance

Pâtisserie légère dorée au jaune d'œuf

Pour 12 petites brioches, soit des moules de 8 cm de diamètre, ou 2 grandes brioches, soit des moules de 23 cm de diamètre:
10 à 15 g de levure de boulanger
350 g de farine environ
3 œufs
1 ou 2 c. à s. de sucre
1 pincée de sel
90 à 150 g de beurre à température ambiante
25 g de beurre pour les moules
farine pour les moules et le travail de la brioche
1 jaune d'œuf extra-frais

Temps de préparation: 1 h (+ 2 h 45 de repos + 30 mn de refroidissement)

Par portion (100 g): 1 600 kJ/380 kcal

1 Émiettez la levure dans une grande terrine, ajoutez 4 c. à s. d'eau chaude et 50 g de farine, mélangez. Couvrez et laissez lever dans un endroit chaud pendant 15 minutes.

2 Ajoutez au levain les œufs, le reste de farine, le sucre et le sel en alternant les ingrédients. Travaillez vigoureusement la pâte avec une cuillère en bois (ou un fouet électrique), jusqu'à ce qu'elle soit élastique et se détache de la cuillère. Incorporez le beurre en pétrissant bien (la brioche est d'autant plus fine que la proportion de beurre est importante). Façonnez la pâte en grosse boule avec les mains farinées, farinez-la encore et couvrez la terrine. Laissez lever au chaud pendant 1 heure, puis enfoncez la pâte avec le poing et faites-la reposer au frais pendant 45 minutes.

3 Beurrez les moules. Pour les grands, partagez la pâte en deux, pour les petits, faites 12 portions. Prélevez sur chaque portion, grande ou petite, un quart de pâte. Façonnez-les toutes en boules. Faites un trou dans chacune, au milieu, avec le bout de trois doigts farinés, puis enfoncez-y les petites «têtes» comme des bouchons, après les avoir roulées légèrement en pointe. Placez les brioches dans les moules beurrés et laissez reposer au chaud pendant 30 minutes jusqu'à ce que la pâte ait doublé de volume. Préchauffez le four à 225 °C (th. 7). Badigeonnez les brioches avec du jaune d'œuf.

4 Faites cuire les petites brioches à mi-hauteur pendant 15 minutes, les grosses pendant 30 minutes, à 200 °C, (th. 6). Faites-les ensuite refroidir. Servez-les avec de la confiture.

Conseil: Vous pouvez aussi faire cuire cette pâte à brioche dans des moules à cake pour obtenir 2 pains briochés.

Charlotte aux fraises

Se prépare à l'avance

à la crème anglaise avec son coulis

Pour 6 à 8 personnes, soit un moule à charlotte de 18 cm de diamètre:
24 biscuits à la cuillère de 10 cm de long et 5 cm de large (250 g environ)
4 cl de kirsch
500 g de fraises ou de framboises fraîches
5 ou 6 feuilles de gélatine (2 g chacune)
200 g de crème fraîche

Pour la crème anglaise:
20 cl de lait • 2 jaunes d'œufs
100 g de sucre • 1 pincée de sel

Pour le coulis:
375 g de fraises ou de framboises fraîches • 1 ou 2 cl de kirsch
1 ou 2 c. à s. de sucre
biscuits à la cuillère, fraises et feuilles de menthe pour garnir (facultatif)
1 ruban de 1 m de long

Temps de préparation: 50 mn (+ au moins 12 h de prise au froid)

Par portion (pour 8 personnes): 1 300 kJ/310 kcal

1 Chemisez le moule de film alimentaire. Arrosez les biscuits, côté plat, avec 2 cl de kirsch. Tapissez le fond et les parois du moule avec les biscuits, face bombée vers l'extérieur. Lavez les fraises (ou les framboises), épongez-les et équeutez-les. Réduisez-en 300 g en purée, coupez le reste des fraises en quatre. Faites tremper la gélatine dans de l'eau froide de 5 à 10 minutes.

2 Faites chauffer le lait dans une casserole. Mélangez dans une terrine en fouettant les jaunes d'œufs, le sucre et le sel, versez le lait chaud en remuant, puis remettez le tout dans la casserole et faites cuire sur feu doux jusqu'à ce que la crème nappe la cuillère (une trace faite avec le doigt sur le dos d'une cuillère en bois ne doit pas disparaître). Essorez la gélatine et incorporez-la dans la crème anglaise en remuant jusqu'à ce qu'elle soit fondue. Faites refroidir dans de l'eau glacée. Pendant ce temps, fouettez la crème fraîche. Incorporez à la crème anglaise le reste de kirsch, la purée de fraises, la crème fraîche et les fraises coupées en quartiers.

3 Versez cette préparation dans le moule chemisé et mettez dans le réfrigérateur pendant au moins 12 heures. Pour le coulis, nettoyez les fraises (ou les framboises). Réduisez-les en purée au mixer en ajoutant le kirsch et le sucre. Tenez au frais.

4 Avant de servir, renversez la charlotte sur un plat rond et retirez le film alimentaire. Garnissez-la d'une couche de biscuits à la cuillère et entourez-la d'un large ruban noué. Décorez de fraises fraîches et/ou de feuilles de menthe. Servez le coulis à part.

Les fraises

Les enfants, en particulier, adorent les fraises en raison de leur belle couleur rouge. Quand ils sont adultes, ils les aiment encore, même si la saveur de ces fruits n'est pas toujours à la hauteur de ce que promet une couleur si appétissante. Le mot «fraise» vient du latin *fragana*, qui signifie parfum, mais les fraises ne sentent vraiment bon que pendant leur pleine saison de maturité. Cette saison commence en avril sur la Côte d'Azur, puis elle gagne la Provence, le Périgord, le Val de Loire et enfin la Bretagne, puis se termine en octobre dans le Périgord. L'une des meilleures variétés de fraises est la gariguette, plutôt claire, assez ferme et bien juteuse, avec une saveur un peu acidulée. Les fraises doivent être achetées bien fraîches et mûres, elles doivent être propres et brillantes, avec de minuscules petits poils à la surface des baies. Les queues et les feuilles doivent être bien vertes. Les fraises de culture biologique n'ont pas besoin d'être lavées, car elles poussent sous des films plastique qui les protègent de la terre et du sable; les ramasseurs ne touchent pas les fraises avec les doigts: ils les prennent par la queue. Si vous devez néanmoins laver des fraises, passez-les à l'eau tiède avant de les équeuter, sinon l'eau entrera dans les fruits et les rendra fades.

Chaque Français mange en moyenne 2,3 kg de fraises par an.

Poires belle angevine

Val de Loire • Se prépare à l'avance

au vin et à l'eau-de-vie

Pour 4 personnes:
75 cl de vin rouge assez fruité
2 ou 3 cl d'eau-de-vie de poire
les zestes de 1 citron et de 1 orange non traités
125 g de sucre • 1 bâton de cannelle de 5 ou 6 cm
3 clous de girofle • ½ gousse de vanille • 1 kg de poires williams
feuilles de menthe fraîches (facultatif)

Temps de préparation: 1 h 05 (+ 2 h de repos)

Par portion: 1 800 kJ/420 kcal

1 Versez le vin dans une casserole, ajoutez l'eau-de-vie, les zestes d'agrumes, le sucre, la cannelle, les clous de girofle et la vanille. Faites bouillonner à couvert sur feu moyen pendant 10 minutes.

2 Lavez les poires, coupez-les en deux, retirez le cœur, pelez-les, mettez-les dans le vin aux épices et faites juste bouillir, puis laissez mijoter à couvert sur feu doux de 30 à 45 minutes, jusqu'à ce qu'elles soient tendres.

3 Égouttez les poires une par une et mettez-les dans une coupe en verre. Passez le vin et faites-le réduire sur feu vif de 5 à 10 minutes. Versez le sirop sur les poires et laissez reposer au frais pendant au moins 2 heures.

4 Sortez les poires du réfrigérateur environ 15 minutes avant de les servir et garnissez-les, selon le goût, de feuilles de menthe.

Conseil: Vous pouvez aussi laisser les poires entières. Dans ce cas, choisissez des poires bien fermes et faites-les mijoter dans du vin d'Anjou sur feu très doux de 2 à 3 heures.

Far aux pruneaux

Bretagne • Facile

Flan aux pruneaux

Pour 4 personnes, soit un plat à gratin de 24 cm de diamètre:
12 pruneaux environ (150 g)
50 cl de thé noir fraîchement infusé
le zeste de 1 citron non traité
1 bâton de cannelle de 5 ou 6 cm
33 cl de lait
100 g de sucre • ½ gousse de vanille
3 ou 4 œufs extra-frais • sel
75 g de farine • 1 ou 2 cl de rhum
beurre et farine pour la cuisson

Temps de préparation: 1 h 10 (+ 2 h de trempage + 30 mn de repos)

Par portion: 1 800 kJ/430 kcal

1 Lavez les pruneaux et faites-les tremper de 1 à 2 heures dans le thé brûlant avec le zeste de citron et le bâton de cannelle.

2 Faites chauffer le lait avec le sucre. Fendez la gousse de vanille en deux et retirez les graines. Battez dans une terrine les œufs et le sel, ajoutez le lait et la farine, mélangez intimement, parfumez avec la vanille et le rhum. Laissez reposer pendant environ 15 minutes.

3 Préchauffez le four à 225 °C (th. 7). Beurrez le plat à gratin et saupoudrez-le de farine. Égouttez les pruneaux, épongez-les et retirez délicatement le noyau *(voir étape 3, p. 100)*. Répartissez les pruneaux dans le fond du plat, puis versez doucement la pâte par-dessus sans les déplacer.

4 Enfournez aussitôt à mi-hauteur et faites cuire de 8 à 10 minutes, puis baissez la température à 175 °C (th. 3-4) et poursuivez la cuisson pendant 35 minutes environ, jusqu'à ce que la pâte soit bien dorée. Laissez le far refroidir dans le four éteint, porte ouverte, pendant 30 minutes. Découpez-le en portions que vous servirez tièdes ou à température ambiante.

Variante: Far aux raisins
Les proportions et la recette sont les mêmes que ci-dessus, mais à la place des pruneaux, prenez 100 g de gros raisins secs trempés pendant une nuit dans 5 cl de rhum; égouttez-les et roulez-les dans 1 c. à s. de farine. Versez la pâte dans le plat, répartissez les raisins secs par-dessus et faites cuire comme le far aux pruneaux.

Paris-brest

Île-de-France • Assez difficile

Pâte à choux à la crème pralinée

Pour 6 personnes:
60 g environ d'amandes effilées
beurre pour la tôle du four
un peu de lait pour badigeonner
sucre glace pour poudrer

Pour la pâte à choux:
45 g de beurre
1 pincée de sel • 1 c. à c. de sucre
75 g de farine • 2 œufs extra-frais
1 poche à douille avec 1 douille lisse de 4 ou 5 cm de diamètre et 1 douille cannelée

Pour le fourrage:
12 cl de lait
2 jaunes d'œufs extra-frais
1 pincée de sel • 40 g de sucre en poudre
100 g de pralin en pâte (ou 50 g d'amandes + 50 g de noisettes, grillées et moulues finement)
150 g de beurre

Temps de préparation: 2 h
(+ 30 mn de repos
+ 1 h de refroidissement)
Par portion: 1 900 kJ/450 kcal

1 Préchauffez le four à 200 °C (th. 6). Étalez les amandes sur une tôle et faites-les griller dans le four à mi-hauteur de 3 à 5 minutes en les remuant souvent (attention, elles brûlent vite). Sortez-les aussitôt et faites-les refroidir sur une assiette froide.

2 Faites bouillir 12 cl d'eau dans une casserole avec le beurre, le sel et le sucre. Ajoutez toute la farine d'un coup et remuez aussitôt vigoureusement avec une cuillère en bois sur feu moyen, jusqu'à ce que la pâte soit homogène et se détache des parois de la casserole. Versez-la dans une terrine et incorporez 1 œuf. Cassez l'autre œuf et ajoutez-en juste de quoi rendre la pâte lisse et encore ferme.

3 Préchauffez à nouveau le four à 200 °C et beurrez la tôle. Mettez la pâte à choux dans une poche munie d'une douille lisse et ronde de 4 ou 5 cm de diamètre. Poussez aussitôt une couronne épaisse de 15 à 20 cm de diamètre sur la tôle. Badigeonnez-la de lait et parsemez le dessus d'amandes effilées. Faites cuire dans le four à mi-hauteur de 28 à 30 minutes, puis à 175 °C (th. 3-4) de 13 à 15 minutes et enfin à 150 °C (th. 2) pendant 15 minutes, jusqu'à ce que la couronne de pâte à choux soit bien sèche, gonflée et croquante. Surtout n'ouvrez pas la porte du four pendant la cuisson, sinon la pâte retomberait. Laissez refroidir dans le four éteint, porte entrouverte (coincée avec une cuillère en bois) pendant 30 minutes.

4 Pour le fourrage, faites chauffer le lait dans une casserole. Fouettez dans une terrine les jaunes d'œufs, le sel et le sucre, puis versez le lait chaud en remuant sans arrêt et remettez le tout dans la casserole. Faites chauffer sur feu doux en fouettant régulièrement jusqu'à ce que la crème nappe la cuillère (une trace de doigt sur le dos de la cuillère ne doit pas disparaître). Faites refroidir cette crème anglaise dans un bain d'eau froide en la fouettant, incorporez le pralin quand elle est froide. Fouettez le beurre dans une autre terrine jusqu'à ce qu'il blanchisse, puis incorporez-le cuillerée par cuillerée dans la crème anglaise.

5 Coupez la couronne de pâte en deux dans l'épaisseur. Mettez la crème pralinée dans une poche à douille cannelée et remplissez largement la partie inférieure en formant des volutes jusqu'à épuisement de la crème. Saupoudrez le dessus de sucre glace et remettez-le en place sur la crème. Mettez le paris-brest au frais pendant au moins 1 heure avant de servir.

6 Servez le paris-brest froid. Découpez-le en tronçons avec un couteau qui coupe bien et proposez en même temps une tasse de café noir.

Important: Veillez à n'utiliser pour cette recette que des œufs extra-frais.

Note: C'est le pâtissier Louis Durand, de la banlieue parisienne, qui eut l'idée de ce gâteau, en 1891, en pensant à la course cycliste entre Paris et Brest. En l'honneur de cet événement sportif, il créa un gâteau en forme de roue, en pâte à choux garnie de crème pralinée et parsemée d'amandes effilées. Aujourd'hui, le paris-brest compte toujours parmi les classiques de la pâtisserie parisienne.

Conseil: La crème pralinée est toujours facile à réussir avec une crème anglaise. Dans la recette originale, en revanche, on incorpore 2 blancs d'œufs montés en neige au mélange beurre-pralin. On peut également compléter la garniture en ajoutant des amandes effilées.

Tourteau fromagé

Poitou • Se prépare à l'avance

Gâteau au fromage de chèvre

Pour 4 personnes, soit 2 moules ronds de 15 cm de diamètre:
Pour la pâte:
125 g de farine • 70 g de beurre froid
1 c. à s. de sucre • 1 pincée de sel
1 jaune d'œuf extra-frais
1 c. à s. de lait

Pour la garniture au fromage:
300 g de fromage de chèvre frais
4 œufs extra-frais • 100 g de sucre
1 cl de cognac • 1 pincée de sel

Temps de préparation: 1 h 45
(+ 1 h 30 de repos)

Par portion: 3 100 kJ/740 kcal

1 Laissez égoutter le fromage pendant 1 heure sur du papier absorbant jusqu'à ce qu'il soit sec et ne pèse plus que 200 g environ. Pendant ce temps, préparez la pâte: mélangez la farine avec 60 g de beurre, le sucre, le sel, le jaune d'œuf et le lait jusqu'à consistance de pâte lisse. Beurrez les moules avec le reste de beurre. Abaissez la pâte en 2 disques de 20 cm de diamètre et garnissez-en les moules. Pincez légèrement les bords et laissez reposer au frais pendant 30 minutes.

2 Préchauffez le four à 225 °C (th. 7). Cassez les œufs et séparez les blancs des jaunes. Fouettez les jaunes avec le sucre, puis incorporez le fromage égoutté et le cognac. Fouettez les blancs en neige ferme, ajoutez-les à la préparation délicatement. Répartissez celle-ci dans les 2 moules. Faites cuire dans le four à mi-hauteur de 35 à 45 minutes, jusqu'à ce que le dessus soit noir. Laissez refroidir porte ouverte. Servez au petit déjeuner, à l'apéritif ou au dessert.

Note: C'est la croûte noire extérieure qui garde toute la fraîcheur du véritable tourteau fromagé du Poitou. En principe, on ne la mange pas. Un tourteau fromagé se conserve pendant quelques jours à 8 °C.

Kouing aman

Bretagne • Se prépare à l'avance

Galette de pâte à pain caramélisée

Pour 4 personnes, soit un moule de 22 à 24 cm de diamètre et 6 à 8 cm de haut:
5 c. à s. de lait • 175 g de sucre roux ou cristallisé
10 g de levure de boulanger
200 g de farine environ
1 pincée de sel
1 œuf extra-frais
150 g de beurre demi-sel à température ambiante
beurre pour le moule

Temps de préparation: 1 h 10
(+ 2 h 30 de repos
+ 20 mn de refroidissement)

Par portion: 2 800 kJ/670 kcal

1 Faites chauffer le lait avec 1 c. à s. de sucre. Dans une grande terrine, émiettez la levure dans le lait, ajoutez 150 g de farine, le sel et l'œuf, mélangez intimement avec une cuillère en bois. Ajoutez suffisamment de farine pour que la pâte ne colle plus. Ramassez-la en boule et laissez-la reposer dans un endroit chaud pendant 30 minutes, jusqu'à ce qu'elle triple de volume.

2 Beurrez grassement le moule. Abaissez la pâte sur le plan de travail fariné en un carré de 40 × 40 cm. Tartinez-le de beurre demi-sel jusqu'à 2 cm des bords et saupoudrez 130 g de sucre en le répartissant bien. Rabattez les pointes du carré vers le milieu, puis posez cette pâte dans le moule et poussez-la délicatement vers les bords en formant une grosse galette. Veillez à ne pas déchirer la pâte. Laissez lever de 1 à 2 heures dans un endroit chaud, jusqu'à ce que la pâte ait doublé de volume.

3 Préchauffez le four à 200 °C (th. 6). Mettez le moule dans le four à mi-hauteur. Au bout de 10 minutes environ, sortez le gâteau du four toutes les 5 minutes et arrosez-le avec le beurre qui a fondu en le versant dans une petite coupe. Faites cuire en tout de 35 à 40 minutes. Saupoudrez de 1 ou 2 c. à s. de sucre. Laissez refroidir dans le four porte ouverte pendant 20 minutes, en arrosant encore le gâteau de beurre fondu. Servez tiède ou à température ambiante, comme dessert ou avec du café noir.

Suggestions de menus

Les menus proposés ici vous donnent un aperçu des habitudes alimentaires dans les provinces de l'Ouest, du Centre et du Nord. Dans la vie quotidienne, le repas de midi est souvent pris en famille. Chaque plat est en principe accompagné d'une garniture typique, mais selon votre goût, vous pouvez la remplacer par un autre plat de légume choisi dans le chapitre concerné.
Classiquement, le menu comporte souvent une salade verte à la vinaigrette, même si l'entrée se compose déjà d'une salade composée ou d'une crudité.
Bien entendu, selon la région où l'on se trouve, le plateau de fromages est différent. Il est servi avant le dessert. Ce dernier est suivi d'un café noir.
Pour une fête ou le déjeuner du dimanche, on commence souvent les préparatifs la veille au soir. Quand on prévoit un pique-nique, tous les membres de la famille participent à l'organisation. Pâques et Noël sont en général des fêtes familiales, alors que le réveillon du jour de l'an a souvent lieu au restaurant.

Toutes les recettes sont conçues pour qu'un menu de trois plats suffise à satisfaire un «bon mangeur». Mais quand on est à table entre amis et que le repas préparé avec talent par la maîtresse de maison se prolonge, on en reprend toujours un peu plus, et le total des calories s'en ressent...
Les spécialités qui ne sont pas proposées dans cet ouvrage comme recettes ou comme variantes sont suivies d'un astérisque. Vous pouvez les réaliser facilement ou vous les procurer dans le commerce.

Déjeuners simples et rapides pour tous les jours

Chiffonnade de saint-jacques 30
Côtes de veau vallée d'Auge 92
Pavé d'Auge (fromage normand) *
Pain perdu aux pommes 128

Coulommiers en salade 32
Carrelets au cidre 73
Pont-l'évêque (fromage normand) *
Gaufres flamandes 127

Dîners simples et rapides pour tous les jours

Soupe charentaise 60
Mignons de porc aux pruneaux 100
Olivet au foin (fromage du Centre)
Crêpes aux pommes 124

Soupe flamande à la bière 59
Bouilleture d'anguille 79
Sainte-Maure (fromage de chèvre de la Loire) *
Poires belle angevine 133

Menus de réception ou du dimanche

Flamique à porions 42
Cotriade 62
Canard vallée d'Auge (variante) 85
Chou rouge aux pommes 113
Cœur de Bray (fromage normand) *
Tarte aux pommes et au miel caramélisée (variante) 121

Pâté de canard d'Amiens 48
Velouté d'asperges vertes 56
Brochet au beurre blanc 80
Chou-fleur au gratin 112
Saint-Paulin (fromage breton) *
Charlotte aux framboises 130

Menu de printemps

Potage Crécy (variante) 57
Tournedos à la tourangelle 94
Pouligny-saint-pierre (chèvre de la Loire) *
Charlotte aux fraises 130

Menu d'été

Salade de fruits de mer 29
Saumon à l'oseille 71
Sainte-maure frais (chèvre de la Loire) *
Soufflé glacé au calvados 122

Menu d'automne

Goyère de Valenciennes 42
Colvert à la picarde 88
Chou rouge aux pommes 113
Rigolot (fromage du Nord) *
Douillons aux poires (variante) 127

Menu d'hiver

Gratinée 59
Râble de garenne aux pruneaux (variante) 100
Pommes berrichonnes 116
Pithiviers au foin (fromage du Centre) *
Pain perdu aux pommes 128

Menus régionaux

Poitou-Charentes

Soupe charentaise aux huîtres	60
Bouilleture d'anguille	79
Chabichou (chèvre) *	
Tourteau fromagé	136

Centre

Quiche tourangelle	45
Râble de lapin au miel	91
Sainte-maure fermier (chèvre) *	
Tarte Tatin	120

Pays de la Loire

Velouté d'asperges vertes	56
Brochet au beurre blanc	80
Crémet d'Anjou (fromage frais) *	
Poires belle angevine	133

Bretagne

Galettes de sarrasin	40
Marmite bretonne	66
Port-salut *	
Far aux pruneaux	133

Normandie

Coquilles Saint-Jacques au cidre	74
Filets de sole normande	71
Camembert fermier *	
Crêpes aux pommes	124

Île-de-France

Gratinée	59
Tête de veau sauce gribiche	103
Fontainebleau (fromage frais) *	
Paris-brest	134

Picardie

Flamique à porions	42
Colvert à la picarde	88
Rollot (fromage fort) *	
Rabotes aux pommes	127

Nord-Pas-de-Calais

Œufs en ramequins	36
Carbonade flamande	97
Maroilles (fromage fort) *	
Gaufres flamandes	127

Menus de fête

Pâques (8 personnes environ)

Pâté de Pâques du Poitou	46
Soupe cressonnière (doubler les proportions)	57
Gigot de sept heures	99
Jardinière de printemps	106
Pommes berrichonnes	116
Levroux (chèvre) *	
Charlotte aux fraises	130

Pique-nique ou buffet froid (12 à 15 personnes)

Rillettes de Tours	51
Rillons de Vouvray	51
Pâté de Pâques du Poitou	46
Salade parisienne	35
Saumon froid au beurre blanc et à l'oseille (variante, en doublant les proportions)	80
Poulet vallée d'Auge (sans sauce à la crème)	84
Gigot de sept heures	99
Far breton	133
Kouing aman	136
Brioches parisiennes (doubler les proportions)	128
Crottin de Chavignol et selles-sur-cher (chèvres) *	
Fougeru, boulette d'Avesnes et livarot (fromages de vache) *	

Noël (8 personnes)

Salade tiède de homard (doubler les proportions)	30
Soupe charentaise aux huîtres	60
Oie aux pommes	89
Chou rouge aux pommes	113
Camembert du Calvados *	

Bûche de Noël: façonnez un paris-brest (p. 134), non pas en couronne, mais en forme de bûche, garnissez-le comme dans la recette et décorez-le selon votre goût. Vous pouvez aussi confectionner une pâte à biscuit, la faire cuire sur la tôle du four et la rouler encore chaude à l'aide d'un torchon, la laisser refroidir, la dérouler et la garnir de crème pralinée avant de la rouler une dernière fois.

Glossaire

Agneau pré-salé: Agneau élevé sur dans prairies salées et iodées de la côte atlantique et en Normandie. Sa viande est particulièrement tendre et délicate.

Bambolles: Pommes (reinettes) cuites en pâte; spécialité angevine.

Beurre blanc: Sauce au beurre pour poissons.

Bintje: Variété de pommes de terre de Merville (Flandre), idéale pour les purées, gratins, ragoûts et soupes, mais surtout pour les frites.

Blanchir: Plonger des légumes ou des crustacés rapidement dans une casserole d'eau bouillante, les égoutter et les mettre aussitôt dans de l'eau glacée pour stopper le processus de cuisson et leur conserver une belle couleur.

Bouquet garni: Bouquet aromatique composé de queues de persil, d'une feuille de laurier et d'un brin de thym ficelés avec du fil de cuisine.

Bourdelots: Pommes en croûte de pâte (brisée ou feuilletée); spécialité normande, qui prend le nom de bourdons dans les Pays de Loire.

Brie: Voir informations produit p. 33

Brioche: Pâtisserie levée, riche en beurre.

Cagouilles: Nom que portent les escargots petits-gris dans les Charentes.

Cantaloup: Variété de melons très appréciée, servie généralement froide en entrée (non glacée), éventuellement avec du pineau, comme en Charente. Le cantaloup brodé est une variété de cantaloup à chair ferme dont l'écorce porte un dessin en filet.

Champignons de Paris (ou de couche): Champignons blancs, surtout cultivés dans le Maine-et-Loire.

Charlotte: Entremets chaud, froid ou glacé, confectionné dans un moule spécial rond et évasé, tapissé de biscuits à la cuillère ou de pain de mie, puis rempli d'une purée, d'une mousse, d'une compote, d'une crème, etc. La charlotte est ensuite cuite ou prise au froid. Par analogie, on confectionne aussi des charlottes à base de légumes, parfois de poisson: ce sont des sortes de terrines cuites au bain-marie dans des moules à charlotte.

Chicorée: La chicorée frisée est une salade à feuilles très minces et dentelées que l'on garnit volontiers de croûtons et de lardons; la chicorée utilisée comme succédané de café vient d'une racine de chicorée torréfiée, concassée et tamisée.

Chiffonnade: Feuilles de salade ou endives, taillées à cru en minces lanières.

Calvados: Voir informations produit p. 93

Cidre: Voir informations produit p. 41

Colvert: Variété de canard sauvage à cou vert.

Cognac: Célèbre eau-de-vie de vin des Charentes, vieille de 400 ans, dont le processus de fabrication est resté inchangé depuis la création. Distillé deux fois dans un alambic à l'ancienne, le cognac ne gagne rien à exploiter des techniques modernes. Il doit surtout sa personnalité au vieillissement qu'il subit dans des fûts en chêne du Limousin, où il acquiert une saveur et un parfum particuliers.

Corail: Glande sexuelle de la coquille Saint-Jacques, attachée à la noix de chair, de couleur rose à rouge vif.

Court-bouillon: Bouillon épicé et aromatisé, à base de vin blanc et d'eau, utilisé pour cuire les poissons et les crustacés.

Crêpes: Fines galettes à base de farine et de lait, sucrées ou salées, cuites à la poêle. Elles ne sont pas qu'une spécialité bretonne, mais sont typiques des fêtes de la Chandeleur dans toute la France. Selon qu'elles sont à base de farine de froment ou de sarrasin, elles portent le nom de crêpes ou de galettes (voir ce mot).

Douillons: Poires cuites entières en pâte (brisée ou feuilletée); c'est en particulier une spécialité de Bayeux, en Normandie.

Flamique, flamiche: Tarte salée, spécialité du Nord, généralement garnie de poireaux émincés dans une crème aux œufs; on fait aussi dans la région une tarte salée au fromage de Maroilles.

Fraises: Voir informations produit p. 131.

Galettes: Crêpes salées de froment ou de sarrasin, garnies d'œufs, de jambon, de saucisses grillées ou de sardines; on en fait aussi en desserts, garnies de miel, de noix ou de sucre. C'est une spécialité bretonne.

Genièvre: Eau-de-vie aromatique traditionnelle dans le Nord.

Gratin: Plat généralement saupoudré de fromage râpé et passé au four pour offrir un aspect bien doré.

Gratinée: Soupe à l'oignon servie gratinée dans une petite soupière individuelle.

Grattons, gratous: Rillettes d'oie ou de canard.

Homard: Voir informations produit p. 67.

Huîtres: Voir informations produit p. 61.

Jambon de Paris: Jambon blanc cuit, légèrement salé, de couleur très pâle; spécialité de Paris.

Lumas: Nom que l'on donne à de petits escargots dans le Poitou.

Marmite: Ustensile de cuisine doté d'un couvercle, dont le nom sert aussi à désigner la spécialité que l'on y cuisine, à base de viande ou de poisson (comme la marmite dieppoise).

Maroilles: Fromage du Nord en forme de pavé épais, à pâte fraîche et croûte lavée, de saveur et de parfum très relevés, qui porte le nom d'un petit village de l'ancienne province du Hainaut.

Melon du Haut-Poitou: Dans le langage populaire, cette variété de melons porte le surnom de «cul-de-singe» à cause de sa peau plissée.

Mogettes, mojettes: Nom des petits haricots en grains, blancs et secs (lingots), tels qu'on les cuisine en Poitou et dans les Charentes; on les garnit souvent de tranches de jambon cru passées au beurre à la poêle.

Moules de bouchot: Petites moules que l'on ramasse dans la région de Brouage, sur l'île d'Oléron, près de Fouras et d'Aiguillon (Charente-Maritime); elles sont élevées sur des pieux (les bouchots) plantés en pleine mer.

Pain de mie: Pain à sandwiches blanc et presque sans croûte qui se compose exclusivement de mie bien dense. À la différence des pains de consommation courante, il comprend du lait, du sucre et du beurre.

Petits-gris: Petits escargots très appréciés dans le Poitou et en Charente.

Pralin: Mélange caramélisé de noix et d'amandes réduites en poudre.

Pré-salé: Voir agneau.

Pineau des Charentes: Vin de liqueur originaire de la région de Cognac, qui se marie bien avec les fruits frais et le melon.

Poireaux: Voir informations produit p. 110.

Pommeau: Apéritif à base de cidre et de calvados; spécialité normande.

Rabotes: Pommes cuites en pâte (brisée ou feuilletée); spécialité picarde.

Ramequin: Ce mot désigne un ustensile de cuisson et de service, mais aussi une sorte de gâteau au fromage.

Ratte: Variété de petites pommes de terre à chair ferme, de forme allongée, originaire du Touquet, idéale pour les salades, les pommes sautées ou à la vapeur.

Reine des reinettes: Variété de pommes à cuire ou à couteau, considérée comme l'une des meilleures.

Reinette: Excellente variété de pommes à cuire ou à croquer, à chair aigre-douce.

Rillettes: Viande de porc – mais aussi d'oie, de lapin, de volaille (voire de poisson) – cuite dans sa propre graisse; se présente comme une pâte à tartiner. Spécialité de Tours (fines et foncées) ainsi que du Mans ou de la Sarthe (claires, avec des morceaux assez gros).

Rillons: Morceaux de poitrine ou d'épaule de porc macérés dans du sel et cuits au saindoux. Spécialité de Touraine que l'on achète chez les bons charcutiers artisans.

Sauce gribiche: Mayonnaise enrichie d'œuf dur, d'oignon, de câpres, de cornichons et de fines herbes.

Sauce Mornay: Sauce Béchamel enrichie de fromage râpé.

Sauce ravigote: Sauce émulsionnée assez épaisse à base de vinaigre, moutarde, huile, échalotes, œuf dur et fines herbes.

Soupe: À la différence du potage passé, du velouté ou de la crème, la soupe est faite d'un bouillon où les ingrédients complémentaires – légumes, poissons, charcuterie, etc. – sont cuits en morceaux plus ou moins gros et ne sont pas passés; elle peut constituer un repas à elle seule, en plusieurs services.

Vinaigrette: Assaisonnement classique de la salade verte, avec huile, vinaigre, sel et poivre. On peut l'enrichir de fines herbes, d'échalotes, de moutarde, etc.

Abréviations:
c. à c. = cuillerée à café
c. à s. = cuillerée à soupe
kJ = kilojoule
kcal = kilocalorie

Index des recettes

Couverture: Emblème des pèlerins se rendant à Saint-Jacques-de-Compostelle, la coquille Saint-Jacques est aussi un mets délicat qui peut se déguster chaud en plat principal *(voir p. 74)* ou en entrée *(voir p. 30)*.

ÉDITIONS TIME-LIFE

LES GRANDES TRADITIONS CULINAIRES
FRANCE DE L'OUEST

ÉDITION FRANÇAISE

Traduit de l'allemand par Sylvie Girard

Conçu et réalisé par Gräfe und Unzer Verlag GmbH, Munich
B.V., Amsterdam

Publié en français par Time-Life Books B.V., Amsterdam
Authorised French language edition

Première édition française, 1997

ISBN 2-7344-0779-5

Photogravure par Fotolito Longo, Bolzano, Italie
Impression et reliure par Mondadori, Vérone, Italie
Dépôt légal: janvier 1997

GRÄFE UND UNZER

ÉDITEUR : Stephanie von Werz-Kovacs
Directeur de l'édition : Angela Hermann-Heene
Conception graphique: Konstantin Kern
Réalisation : Verlags Service, Dr Helmut Neuberger & Karl Schaumann GmbH, Heimstetten
Les recettes ont été testées par : Elvira Adler-Weichsberger, Barbara Hagmann,Christine Hagmann-Beimes, Traute Hatterscheid, Doris Leitner et Marianne Obermayr
Cartographie : Huber, Munich

Amandine Ditta Biegi
est née à Dresde et vit aujourd'hui à Nice. Sa passion pour la cuisine française l'a amenée à suivre des séminaires de cuisine et des cours dispensés par un grand cuisinier. Elle a remporté plusieurs concours culinaires de cuisine française traditionnelle et créative. Grâce à ses nombreux voyages à travers la France et à ses articles sur la cuisine gastronomique pour un journal du sud de la France, Amandine a pu rassembler de très nombreuses recettes régionales. Celles de l'ouest de la France ont été réunies pour figurer dans cet ouvrage.

FoodPhotography Eising
FoodPhotography Eising a été créée par Susie et Pete Eising en 1981. Ils sont spécialistes de photographies d'art culinaire. Ils ont pour principaux clients des agences de publicité, des compagnies industrielles, diverses revues et des maisons d'édition. Martina Görlach, qui a réalisé les photographies de ce volume, travaille depuis de nombreuses années pour FoodPhotography Eising. Elle est assistée par Tanja Major et Bettina Gousset.

Boris Blauth
est né en 1965 à Augsbourg où il étudia le dessin. Aujourd'hui, cet artiste travaille comme illustrateur et designer indépendant à Munich.

Source des illustrations

Dessins en couleurs: Boris Blauth

Toutes les prises de vue de cet ouvrage ont été réalisées par Martina Görlach de l'agence FoodPhotography Eising, à l'exception de celles dont les pages sont mentionnées ci-dessous:

Couverture: Graham Kirk, Londres.
4-5, en haut (bar à la gare de Lyon, Paris): Axel Krause/laif, Cologne; au centre (marchand de gâteaux en Bretagne) et en bas à droite (vacanciers sur la plage de Deauville): Martin Thomas, Aix-la-Chapelle; au milieu à droite (fermier normand goûtant son calvados) et en haut à gauche (pêcheur normand): Jörg Meyer/Das Fotoarchiv, Essen; au centre en bas (calèche à Saint-Laurent-de-Condel): Gernot Huber/laif, Cologne; en bas à gauche (étal de marché à Nantes): Manfred Linke/laif, Cologne.
8-9 (abbaye du Mont-Saint-Michel): Martin Thomas, Aix-la-Chapelle.
10 (en haut): Jo Scholten, Nettetal.
10 (en bas): Amandine Ditta Biegi, Nice.
11: Jo Scholten, Nettetal.
12, 13 (2): Manfred Linke/laif, Cologne.
14 (2): Eva Brandecker/Das Fotoarchiv, Essen.
15: Manfred Linke/laif, Cologne.
16 (en haut): Erhard Pansegrau, Berlin.
16 (en bas): José F. Poblete, Oberursal/Ts.
17: M. Radkai/jd, Munich. 18: Franz Frei/laif, Cologne.
19 (en haut): Michael St Maur Sheil/Das Fotoarchiv, Essen. 19 (en bas): Gernot Huber/laif, Cologne.
20 (en haut): Thomas Ebert/laif, Cologne.
20 (en bas): Leynse/Rea/laif, Cologne.
21: Ernst Horvath/Das Fotoarchiv, Essen.
22: Amandine Ditta Biegi, Nice.
23 (en haut): Jo Scholten, Nettetal.
23 (en bas), 24: Martin Thomas, Aix-la-Chapelle.
25: Martin G. Puthz, Schlitz.
33, 61: Amandine Ditta Biegi, Nice.
93: Jörg Meyer/Das Fotoarchiv, Essen.
110, 131: Amandine Ditta Biegi, Nice.

30 29 28 27 26 25 24 23 22 21 20 19 18 17 16 15 14 13 12 11 10 9 8 7 6 5 4 3 2 1